D0854576

afgeschreven

Dood door schuld

Tineke Beishuizen

Dood door schuld

Roman

UITGEVERIJ DE ARBEIDERSPERS
AMSTERDAM · ANTWERPEN

Omslagontwerp: Marjo Starink
Omslagfoto: Gloria H. Chomica / Masterfile

ISBN 978 90 295 6530 1 / NUR 301
www.arbeiderspers.nl

Het gras is gemaaid en
de lucht is gelukkig,
duidelijk vrede.

Blijft alleen de vreemde
zekerheid van dat meisje
dat er niet meer is.

Rutger Kopland

Er zijn mensen die zeggen dat het de schuld is van het actiecomité dat Kirsten die avond stil en bleek als een wassen beeld op een brancard de ambulance in werd geschoven.

Maar dat zijn mensen die altijd en voor alles een schuldige nodig hebben, omdat de gedachte dat niet voor iedere gebeurtenis een verantwoordelijke valt aan te wijzen, onverdraaglijk voor ze is.

Natuurlijk valt niet te ontkennen dat zonder ingrijpen van het actiecomité het geplande fietspad tegelijk met de nieuwe weg zou zijn aangelegd. In dat geval zou Kirsten Kooyman op deze prachtige nazomeravond rustig naar huis zijn gefietst, waar ze aan tafel verteld zou hebben over haar schooldag en de training van haar volleybalteam, waarna ze op de patchworksprei op haar bed, één oog op *Goede Tijden* en het andere op het hoofdstuk Franse grammatica waarover ze de volgende dag een repetitie zou krijgen, met haar hartsvriendin Harmke ge-sms't zou hebben over haar vriendje Aldo met wie ze de vorige avond getongd had.

Maar het actiecomité had wél ingegrepen, en dat is

wat hun na die dramatische avond stevig werd inge-
wreven.

Het was overigens hoog tijd dat er een behoorlij-
ke verbinding kwam met de naburige stad, en dat die
nieuwe weg langs de sportvelden zou lopen, was niet
meer dan logisch, want daar ontstonden in het weekend de nodige opstoppingen als ouders hun kinderen
naar een wedstrijd of een training brachten.

Niets mis dus met het plan, liet het actiecomité luid
en duidelijk weten, het ging hun alleen om die drie
oude eiken, een paar honderd meter voor de Vennenwijk.

Het ene bezwaarschrift na het andere werd ingediend, goed onderbouwd, wat je ook mag verwachten
met een gepensioneerde jurist als voorzitter.

En dan hebben we het nog niet eens over de hoor-
zittingen.

Stuk voor stuk gelegenheden waarbij de jurist zich
uitleefde in slimme en goed geformuleerde argumen-
ten die op hetzelfde neer kwamen: red de eiken!

Al die tijd moesten de forensen het veel te smalle
weggetje tussen de weilanden blijven gebruiken om in
de nabijgelegen stad te komen.

Een tijdvretende zaak, zeker als je de pech had achter een tractor te zitten. Democratie is mooi, maar het
moet niet te gek worden. Uiteindelijk waren zelfs de
tegenstanders van het actiecomité opgelucht toen de
kogel door de kerk was, en het bestemmingsplan werd
gewijzigd.

Een bocht in de weg zou de drie eiken sparen en het fietspad ging voor onbepaalde tijd niet door vanwege de tijdens de actie gestegen kosten.

Iets waar behalve een paar bezorgde ouders niemand zich druk over maakte.

I

Het is gegaan zoals ze hoopte.

Tot het laatste moment was er twijfel of ze de baan wel zou krijgen, er waren er meer die hoofd Human Resources wilden worden.

Beslissingen nemen die ertoe doen. Een kamer met vaste vloerbedekking. Niet alleen een groter bureau maar ook nog een zitje in de hoek van de kamer. Een eigen secretaresse.

Om over de duizelingwekkende salarisverhoging maar niet te spreken.

Een baan met potentie. Een baan die in deze sector meestal door mannen wordt bezet.

Het werd om vijf uur bekendgemaakt. Tijdens de vrijdagborrel in de grote vergaderzaal. Hiemstra met het glas in zijn hand. Ze wist het toen al, hij had haar een uur eerder bij zich geroepen.

'Je raadt het zeker al.'

Ze had geknikt, geprobeerd professioneel te kijken, niet al te blij, niet te veel gevoel tonen, daar houden ze niet van in de mannenwereld. Hij had geglimlacht.

'Een beetje jong bloed kan deze zaak wel gebruiken! Gelukgewenst, Anne. Maak er wat van!'

En dat zal ze.

Ze had een stap naar voren gedaan toen Hiemstra in de vergaderzaal haar naam noemde. Voelde de jaloerse blikken van collega's, maar wist ook dat er een paar mensen blij voor haar waren.

Zo'n absolute jungle was bouwtechnisch bureau Hiemstra, Maas, De Jong nu ook weer niet.

Er was op haar geklonken, en daarna had ze een beetje rondgelopen. Hier en daar een praatje gemaakt. Gepeild hoe de stemming was.

Ze was niet van plan lang te blijven, maar meteen na de aankondiging in haar auto stappen was natuurlijk niet mogelijk, al had ze dat het liefste gedaan. Thuis wachtte Jaap, en misschien waren de kinderen nog niet weg.

Niet dat Jolien en Casper echt geïnteresseerd zouden zijn in haar promotie. De kans was groot dat ze op het punt stonden de deur uit te gaan, na een door Jaap gehaalde pizza naar binnen gewerkt te hebben. Vrijdagavond stapavond. Daar deden tegenwoordig zelfs dertienjarigen aan mee.

Maar Jaap was wel degelijk betrokken. Hij had de champagne koel staan, had hij gezegd toen ze hem belde om te zeggen dat het definitief was.

'Hoofd Human Resources, god Anne, je begint me boven het hoofd te groeien.'

Wat natuurlijk niet waar was. Zijn accountantskantoor liep als een trein. Goede klanten die ook nog eens tot hun kennissenkring behoorden. Belangrijke zaken werden en passant op de golflinks geregeld, zoals dat in kleine gemeenschappen gaat.

Ze bewonderde zijn werklust, en dat hij trots op haar was, deed haar goed.

Ze had zich zo lang 'de vrouw van' gevoeld – dat stadium was in elk geval voorgoed voorbij.

Toen ze op het punt stond om naar huis te gaan stond Max ineens voor haar. Twee volle glazen in zijn hand. Ze had het hare net weggezet, ze moest nog rijden en je kunt je tegenwoordig op het gebied van drank maar weinig veroorloven als je de weg nog op wilt.

'Je gaat toch niet weg zonder dat ik op je succes gedronken heb?'

Hij was haar grootste concurrent geweest, de meest waarschijnlijke opvolger van Stan, die het bespottelijke idee had opgevat iets voor de derde wereld te gaan doen en nu voor drie keer niks zijn talenten aan het verspillen was in Kameroen of zo'n soort land.

Waarom Hiemstra voor haar gekozen had en Max had laten vallen, was niemand duidelijk, haarzelf nog het allerminst.

Als ze heel eerlijk was moest ze toegeven dat hij beter gekwalificeerd was. Meer ervaring had.

Ze hieven hun glas naar elkaar.

'Ik had het moeten zijn, Anne, dat weet je verdomd goed.'

'Maar ik ben het geworden, Max.'

Hij dronk zijn glas achter elkaar leeg. Zij nam een slokje, vast van plan haar glas zo snel mogelijk weg te zetten.

'We komen elkaar nog weleens tegen.'

Het klonk als een waarschuwing, maar ze was niet van plan haar avond te laten bederven.

Ze is de eerste die weggaat, zo onopvallend mogelijk, een overbodige behoedzaamheid want niemand let op haar.

De vrijdagborrel is de gelegenheid om bij te praten, roddels uit te wisselen, verhoudingen te beginnen of jezelf moed in te drinken voor het weekend, waarin allerlei dingen van je worden verwacht waar je niet even je secretaresse voor kunt bellen.

Ze loopt langzaam naar haar auto, genietend van de geur van naderende herfst die sinds kort iedere nazomerdag vergezelt.

De hemel is helder, terwijl het toch al bijna donker is en de straatlantarens aanflitsen als ze het parkeerterrein op loopt.

Het doet haar denken aan een schilderij van Magritte, *L'empire des lumières*, dat haar altijd weer de adem beneemt, terwijl er toch weinig meer op te zien is dan een oud huis bij het vallen van de avond.

Er wordt vorst aan de grond verwacht, herinnert ze zich, ze verbeeldt zich dat ze het kan ruiken.

Ze wacht met instappen.

Het is na de drukte en de rook in de vergaderruimte een verademing om frisse lucht naar binnen te krijgen.

Hoofd Human Resources!

Ze neuriet als ze de auto start en zoekt op de radio net zo lang tot ze jazzmuziek hoort. Een bigband, god mag weten wat ze spelen maar het swingt als een gek.

Ze beweegt haar schouders op het ritme van de muziek en tikt het met haar rechterhand mee op het stuur, waarbij telkens haar ring de beat aangeeft.

De stad uit, op de grote weg de derde afslag naar de nieuwe B-weg, die rechtgetrokken als met een liniaal tussen weilanden voert waar vroeger koeien stonden, maar die sinds een paar jaar op verwaarloosde, verlaten grasvelden lijken.

Langs de sportvelden, waar onder het licht van felle schijnwerpers twee elftallen aan het hockeyen zijn.

Vijf kilometer verderop begint het uit zijn krachten gegroeide forensendorp waar ze bijna tien jaar geleden, in een relatief goedkope tijd, hun twee onder één kap met royale voor- en achtertuin hebben gekocht. Ze besloten al voor de koop dat er zo snel mogelijk een aanbouw moest komen waarin Jaap kantoor kon houden.

Ze is nu bijna bij de Vennenwijk, de laatst gebouwde huizen, waar de weg een scherpe bocht om drie oude eiken maakt om zich een paar honderd meter verder bij het zwembad te splitsen. De linkerweg naar het kerkhof, de rechter naar het centrum en het oudste gedeelte van de wijk met de riante huizen waarvan zij er ook eentje hebben.

De radio speelt Count Basy. '*A tisket, a tasket*'.

Gouwe ouwen, die ze kent van Jaaps langspeelplatenverzameling.

'*A tisket, a tasket, a hum hum little basket...*'

Dwars erdoorheen jengelt haar mobiel. Op de tast graait ze in haar schoudertas die op de stoel naast haar ligt.

'Anne, heb je enig idee hoe laat je thuiskomt...?'

'Ik ben er bijna.'

'Hoe ging het...?'

De tegenligger die de bocht om komt, heeft zijn grote licht aan.

Anne remt af en knijpt haar ogen halfdicht, volkomen verblind.

Het duurt een paar seconden, dan is de auto voorbij.

Ze schudt haar hoofd, knippert met haar ogen en ziet in een flits het meisje op de fiets. Tenger. Een kort jack dat een stuk blote rug laat zien. Daaronder jeans. Blond halflang haar.

De auto raakt de achterkant van de fiets, niet meer dan een harde tik, bijna onnozel eigenlijk, maar evengoed wordt het meisje van haar fiets geslingerd, alsof ze afgeschoten wordt door een katapult.

Ze zweeft door het licht van de koplampen de duisternis in, als een vallende engel, met wuivend blond haar.

Haar auto hobbelt een paar meter door de berm en komt tot stilstand. Versuft blijft ze even achter het stuur zitten.

Het kan niet waar zijn wat ze heeft gezien, er moet een verklaring voor zijn, een andere dan de voor de hand liggende dat ze iemand heeft aangereden.

Haar knieën begeven het bijna als ze naast de auto staat, panisch bij de gedachte aan wat ze aan zal treffen.

De fiets op de rijbaan is het eerste wat ze ziet, het stuur in een vreemde hoek ten opzichte van de wielen, die met een zacht tikkend geluid nog doordraaien. Een meisjesfiets met handremmen en een vrolijk rode sporttas scheefgezakt onder de snelbinders.

Dit alles ziet Anne in één oogopslag.

Het duurt een paar seconden voordat ze het meisje ziet liggen, oranjegeel verlicht door een straatlantaren, haar hoofd schuin tegen de stam van de middelste eik, haar armen ontspannen naast zich.

Niets aan haar beweegt.

Alles wat op leven duidt speelt zich af in de verte. Het geluid van een claxon. Een hond die blaft. En verderop in de huizen van de Vennenwijk kijken kinderen naar hun favoriete programma, terwijl hun moeder de tafel afruimt.

Anne knielt naast het meisje, een dun straaltje bloed is uit haar neusgaten en mondhoeken gegleden, haar oogleden lijken doorschijnend. Ze weerstaat de neiging om het hoofd van het meisje in een makkelijker houding te leggen, bang dat iedere aanraking fataal zou kunnen zijn. Ze kijkt naar het spijkerjack dat omhoog geschoven is, een navelpiercing met roze steentjes glanst in het licht van de lantaren. Haar eigen dochter wil zo'n piercing, maar ze heeft het tot nu toe tegen weten te houden.

'O god,' zegt Anne, 'ga niet dood! Alsjeblieft, alsjeblieft, ga niet dood...!'

Ze streelt de blonde haren weg uit het gezicht.

'Het spijt me zo...!'

Ze rent naar haar auto om haar mobieltje te pakken en toetst drie keer verkeerde cijfers in. Als ze daarna de alarmcentrale aan de telefoon heeft, kan ze geen adequate antwoorden geven. De weg waarlangs ze nu met haar auto in de berm staat, heeft ze sinds ze hier wonen ontelbare keren gereden, maar evengoed heeft ze geen idee van het nummer ervan. Haar stem trilt als ze probeert uit te leggen waar ze is. Alles aan haar trilt, tot haar onderkaak toe, en ze kan het niet tegenhouden.

Kennelijk geeft ze de telefoniste toch voldoende informatie, want die legt neer, na een belofte die Anne onmiddellijk vergeet.

Ze gooit het mobieltje terug op de passagiersplaats.

Als ze weer op haar knieën naast het meisje zit, hoort ze stappen in het gras. Een man hurkt aan de andere kant van het beweginglöze lichaam.

'Ziet er niet best uit.' Zijn stem klinkt zakelijk, alsof hij een vis keurt die hij zo dadelijk weer terug zal leggen.

Over zijn schouder verschijnt de nieuwsgierige snuit van een dobermann.

'Ik liep aan de overkant. Ik heb het zien gebeuren. Ik dacht, laat ik maar kijken of ik iets kan doen. Er is niet veel volk op de been om deze tijd.'

Hij komt overeind.

'Daar zul je ze hebben.'

Anne realiseert zich dat ze al eerder het geluid van een sirene, ver weg, heeft opgepikt. Zwaailichten in de verte, het geluid van een tweede sirene door de eerste heen, nog meer zwaailichten.

Ze doet een paar stappen opzij als de ambulancebroeders zich over het meisje buigen.

Goddank, nu er deskundigen bij zijn zul je zien dat het allemaal meevalt. Een hersenschudding. Iets anders waardoor je een tijdje stilligt. Ze is jong. Op die leeftijd kun je wel wat hebben. Je hoeft niet meteen aan het ergste te denken.

Een van de twee agenten die uit een surveillancewagen zijn gestapt, vraagt of ze met hem mee wil komen.

Er staan nu meer auto's in de berm, ziet ze. Nieuwsgierigen die uitgestapt zijn en proberen zo dichtbij mogelijk te komen. Mensen met honden die ze aan het uitlaten waren. God mag weten hoe ze zo snel gemerkt hebben dat er iets aan de hand is.

Ze voelt ogen op zich gericht als ze achter de agent naar de surveillancewagen loopt, die dwars over de weg geparkeerd staat met nog steeds draaiende zwaailichten. De tweede agent is bezig met rood-wit lint een afzetting te maken, waarachter steeds meer nieuwsgierigen zich verdringen. Het heeft bijna iets vrolijks, zo scholen mensen samen die de intocht van Sinterklaas willen zien of een bezoek van de koningin.

Ze denkt aan Jaap, die haar allang thuis had verwacht, en vergeet hem weer.

Ergens hier niet ver vandaan weten de ouders van het meisje nog van niets. Hooguit vragen ze zich af waar hun dochter blijft, ze zou met eten thuis zijn en ze heeft niet gebeld dat ze later komt.

Ze zullen haar nu zelf wel gebeld hebben, en een boodschap hebben ingesproken op haar voicemail.

'Waar blijf je toch...!'

Misschien is haar mobieltje afgegaan terwijl ze daar in het gras lag.

De broeders schuiven het meisje op een brancard de ambulance in, op het moment dat Anne op de achterbank van de surveillancewagen gaat zitten, haar schoudertas, die de agent voor haar uit de auto heeft gehaald, op schoot. De blaastest heeft ze dan al gedaan.

Een paar uur geleden was ze een vrouw die alles had. Prettig huwelijk. Leuke kinderen. Aardig huis. Goeie baan.

Nu zit ze in een sobere kamer tegenover een boom van een politieman, die zich heeft voorgesteld als hulpofficier van justitie.

'U bent niet tot antwoorden verplicht,' heeft hij gezegd.

Maar waarom zou ze zwijgen? Als alleen het trillen maar op zou houden, en het een beetje rustiger zou worden in haar hoofd. Nu moet ze over ieder antwoord nadenken, terwijl het toch maar zo kort geleden gebeurd is.

'Was u aan het bellen toen het ongeluk plaats-
vond?'

Hij heeft haar mobieltje in zijn hand, ziet ze.

Natuurlijk, dat heeft hij op de passagiersstoel gevonden.

Ze knijpt haar ogen dicht en denkt terug.

'Ja, maar het was niet echt een gesprek. Een paar
zinnen, meer niet...'

'Maar wel bellen. Terwijl u geen handsfree-voorzie-
ning heeft.'

'Het kwam niet door het bellen. Ik werd verblind
door een tegenligger.'

'Terwijl u aan het bellen was.'

'Ik weet niet of ik toen nog belde.'

Hij zucht even.

'Dat moet het technisch onderzoek dan maar uit-
wijzen.'

Ze zwijgt.

Waar ze over wil praten is het meisje. Hoe het met
haar gaat. Of haar ouders het al weten. Hoe ze heet.
Waar ze woont.

Ze denkt aan de roze piercing, die glansde in het
licht van de straatlantaren. Iets ouder dan Jolien leek
het meisje haar. Waar kwam ze vandaan?

Ze leest haar uitgetikte verklaring door, maar alleen
omdat de man tegenover haar dat wil, geen woord van
wat ze leest dringt tot haar door, en ze slaagt er nauwelijks in de ballpoint met haar bevende hand te sturen als ze haar handtekening zet.

'Het meisje, hoe is het daarmee...?'

'Kritiek,' zegt hij.

Ze heeft het gevoel dat haar hart ophoudt met kloppen.

Hij kijkt haar aan, en ze ziet medeleven in zijn ogen.

'U kunt straks praten met iemand van slachtofferhulp, als u wilt. Ik begrijp hoe u zich voelt. U heeft dit ook niet gewild.'

Ze schudt haar hoofd.

'Mijn man. Ik wil naar huis.'

Hij wijst haar de telefoon die ze kan gebruiken. Haar mobiel zal ze later terugkrijgen.

'Goddank!' zegt Jaap als hij haar stem hoort.

'Ik hoorde je schreeuwen en toen niets meer. Mijn god, Anne...'

Na zijn eerste woorden huilt ze al.

'Ik heb een meisje aangereden, je moet me komen halen, Jaap. Ik ben op het politiebureau en ik krijg de auto niet mee. Ze zijn nog met het onderzoek bezig.'

'Ik kom eraan.'

Ze zit op een stoel in de wachtkamer, haar jas om zich heen alsof het een deken is, klappertandend, het water in het glas dat een agente haar heeft gegeven, klotst bijna over de rand heen.

Jaap vult de kleine wachtkamer met zijn grote lijf, ze kruipt in zijn armen en duwt hem tegelijkertijd van zich af.

'Als ze dood gaat, Jaap...!'

'Niet meteen het ergste denken.'

'De weg is nog steeds afgezet,' zegt hij als ze naar huis rijden. 'Ik ben even omgereden om te kijken. Weet je trouwens wie het is, dat meisje? Ze kan niet ver weg wonen, als ze op de fiets was. Heeft niemand haar naam genoemd...?'

Ze schudt nee, haar gebalde vuist tegen haar mond, haar tanden kluiven aan haar nagels. Een gewoonte die ze met moeite heeft afgeleerd toen ze tiener was en mooie, gelakte nagels wilde hebben.

Ze rijden hun straat in. Bijna nergens zijn de gordijnen dicht.

Een journaalonderwerp is beeld voor beeld te volgen door de diverse ramen. In hun huis zijn ook de ramen van de bovenverdieping verlicht. Het is de kinderen niet aan te leren om eens een keer een licht achter zich uit te doen.

'Hoe krijg je je auto eigenlijk terug?'

'Ik kan morgen de sleuteltjes halen op het bureau.'

Jaap parkeert halverwege de inrit. Ze loopt langzaam van de auto naar de voordeur. Het licht van de buitenlamp schijnt op een perk rozen, ze zijn in hun derde bloei, terwijl tegen de muur de vuurdoorn propvol oranje bessen al met het najaar bezig is.

Ze houdt van deze periode, waarin de seizoenen elkaar overlappen, de bessen hun knaloranje brutaal afzetten tegen het pastel van rozen en bijna uitgebloeide hortensia's. De rozenknoppen die een spannende strijd leveren met de eerste nachtvorst en er op een ochtend doodgevroren nog steeds bedrieglijk veelbelovend uit zullen zien.

Ieder vrij moment werkt ze in de tuin, alles wat ze plant doet het, groene vingers, goeie aarde, goeie lichtval, meer heeft een tuin niet nodig.

Jaap haalt haar met grote stappen in, reikt langs haar heen met zijn sleutel naar het slot. Zijn hand glijdt langs haar schouder en rug, knijpt even in haar hals, zijn manier om haar zonder woorden moed in te spreken.

Ze stapt de gang in, hangt haar jasje op en ziet dat de jacks van de kinderen weg zijn. Ze zijn stappen, zegt Jaap. Dat wist ze toch?

Het is alsof ze in gedachten haar dochter, de dertienjarige, voor het eerst ziet. De jeans, het stukje gebruinde huid tussen broekrand en t-shirt, de borstjes waar ze trots op is maar zich ook voor geneert, en die ze probeert te verbergen door een beetje krom te lopen. Tamelijk steil haar om een niet mooi maar wel lief gezichtje. En zo verschrikkelijk kwetsbaar, weet ze nu. Vertrokken op haar donkergroene meisjesfiets, samen met vriendinnen naar het café waar, alsof het zo is afgesproken, alleen de dertien- en veertienjarigen komen, en waar geen sterkedrank geschonken wordt. Casper zul je daar niet aantreffen, die heeft er na zijn vijftiende verjaardag geen stap meer gezet. 'Het kleutercafé!', een benaming waarom zijn zus hem naar de strot vliegt.

De donkere avond zijn ze in, haar twee kinderen. Dezelfde avond vanwaaruit dat andere meisje misschien nooit meer thuis zal komen.

Waarom heeft hij de kinderen laten gaan, weet hij dan niet dat er van alles kan gebeuren?

'Ze gaan elke vrijdagavond weg, dat vind jij toch ook goed?'

Maar ze is ineens hysterisch. Ze wil dat hij ze gaat zoeken, thuis brengt, waar ook vandaan, ze schreeuwt en huilt totdat ze van het ene moment op het andere stil is, te uitgeput om nog iets te zeggen.

Hij brengt haar naar boven, raapt de kleren op die ze op de grond laat liggen waar ze uitgetrokken zijn, en legt ze op een stoel met zorgvuldige gebaren, zoals hij altijd alles zorgvuldig doet, en zet een glas water op het tafeltje naast het bed.

Ze wil dat het schemerlampje aan blijft, maar even later heeft ze er last van, het licht doet pijn aan haar branderige ogen. Als ze het op de tast uitdoet, stoot ze het glas om.

In het donker ligt ze te luisteren naar het druppelen van water op het wollen kleed.

2

Jaap heeft de auto gehaald. Meteen om negen uur 's ochtends. Hij heeft altijd een hekel gehad aan lang in bed liggen.

Ze hoort hem het tuinpad op rijden.

Er is niets aan te zien, meldt hij even later op de rand van het bed. Nog geen krasje. Onbegrijpelijk dat het zo hard is aangekomen. Hoe snel reed ze eigenlijk? De weg zag er ook al zo gewoon uit, alsof er niets gebeurd was. Wat sporen van autobanden in de berm, dat was alles. En welke boom was het ook alweer?

'De middelste,' zegt ze.

Ze heeft haar ogen dichtgeknepen, het daglicht bezorgt haar een stekende hoofdpijn.

'Wil je alsjeblieft de gordijnen weer dichtdoen?'

'Nog geen splintertje schors eraf,' zegt hij, terwijl hij opstaat en de gordijnen naar elkaar schuift. Door de royale kier die hij ertussen laat komt het zonlicht evengoed nog hinderlijk naar binnen, maar ze zegt er niets van.

Hij is speciaal uitgestapt om even te kijken, vertelt hij.

Volgens hem valt het allemaal mee. Als ze geluk

hebben, loopt het met een sisser af. Maar waarom komt ze niet uit bed? Het is halverwege de ochtend, straks staan de kinderen op. Is ze van plan ze te vertellen wat er gebeurd is?

Het zijn te veel vragen. Het zou haar al moeite hebben gekost er één van te beantwoorden.

Ze draait haar rug naar hem toe, voelt hoe hij aarzelt naast het bed en hoort hem dan de deur uit lopen.

De kinderen zijn uit hun kamer gekomen, hebben op de overloop geruzied over wie er het eerste in de badkamer mag en zijn geruime tijd later naar beneden verdwenen.

De laatste tijd heeft Casper meer tijd nodig in de badkamer dan Jolien. Hij staat iedere ochtend voor onbepaalde tijd voor de spiegel geparkeerd, eindeloos zijn haar kammend, experimenterend met gel om het er daarna weer uit te spoelen, zijn puistjes bestuderend met bezorgd samengeknepen wenkbrauwen. De felrode streepjes op zijn gezicht verraden hem als hij er een paar heeft uitgeknepen.

Bij Jolien gaat de tijd zitten in het wisselen van T-shirt of jeans. Het maakt nauwelijks verschil, ze zijn allemaal leuk, maar voor haar lijkt het van wezenlijk belang, alsof het verdere verloop van de dag afhangt van de goede keuze.

Vanuit haar bed hoort ze het drukke gepraat van haar kinderen in de keuken, de rustige stem van Jaap erdoorheen.

Ze heeft geen idee wat voor reden hij geeft voor het

feit dat ze nog niet is opgestaan. Ze wilde dat ze kon slapen, wat haar betreft voor altijd, alles beter dan telkens het gezicht van het meisje op haar netvlies te zien, de dunne streepjes bloed, de oogleden die de kleur van een waskaars hebben. Maar het lukt haar zelfs niet om even weg te doezelen.

Ze gaat op de rand van het bed zitten, haar hoofd gebogen, haar handen tussen haar knieën, te moe om op te staan.

Jolien komt binnen.

'Wat is er, mam?'

Ze ploft naast haar moeder neer, slaat een arm om haar heen.

'Pap zegt dat je je niet goed voelt. Heb je griep?'

En in één adem: 'Sanne heeft gevraagd of ik vannacht kom slapen. Ik neem m'n huiswerk mee. We hebben trouwens niet veel voor maandag. Mag het, mam? Ik moest het aan jou vragen.'

Als ze aan het einde van de ochtend de keuken binnenkomt zit Jaap de krant te lezen.

'Ik begon me al ongerust te maken,' zegt hij. 'Heb je een beetje kunnen slapen? Je hebt zo liggen woelen vannacht.'

'Gaat wel.'

'Zal ik een ei voor je koken? Wil je verse thee? Een broodje?'

Maar ze wil niets. Ze zit op haar stoel en probeert niet misselijk te worden van de geur van zijn koffie, dampend in een witporseleinen beker.

Achter hem schijnt de zon op haar lievelingsrozen, groot en oudroze van kleur. Ze was van plan dit weekend iets aan de tuin te doen. Straks regent het misschien weer weken achter elkaar, en voor je het weet ga je met een totaal verloederde tuin de winter in.

Maar op dit moment is er niets wat haar minder kan schelen.

'Eet dan alleen een beschuitje.'

'Laat me nou!' Het komt er feller uit dan ze bedoelt, en hij zucht en buigt zich weer over de krant.

Natuurlijk heeft ze de hele nacht wakker gelegen.

De torenklok, ontdaan van het carillongeklingel dat bij de dag hoort, heeft met een kalmerend timbre de uren van de nacht aan haar meegedeeld. Naast haar de rustige adem van Jaap.

Ze probeert zich te herinneren wanneer ze hem voor het laatst heeft horen hijgen, in haar oor bijvoorbeeld, of met zijn mond in haar haren.

Volgens hem voelt hij zich nog steeds regelmatig seksueel tot haar aangetrokken. Zij trouwens ook tot hem, maar helaas overvalt de lust hun zelden op hetzelfde moment en altijd ongelegen.

Als ze naar de badkamerspiegel lopend een nieuwe push-up beha aantrekt bijvoorbeeld, en hem vraagt de sluiting dicht te maken, maar wel snel graag want ze zijn al laat voor de schouwburg, en dan zijn handen om haar borsten voelt terwijl de beha langs haar been fladdert en op haar voet blijft liggen.

Haar ongeduldige 'Jaahaap...!'

En nee, natuurlijk hoeft het dan niet meer. Niet dan, maar ook niet op een ander moment als zij zin heeft en haar handen langs zijn billen laat glijden.

Te druk. Geen tijd. Geen zin. Even iets anders aan je hoofd.

Gemiste kansen in en buiten bed.

Maar deze nacht had ze wel iets gevoeld voor de troost van zijn lijf tegen het hare.

Ze heeft zelfs overwogen hem wakker te schudden, maar ze kent zijn verwardheid als hij in zijn slaap wordt gestoord.

Waarschijnlijk zou hij niet eens begrijpen wat ze van hem verlangt.

Ze wacht.

De hele zaterdag en het grootste deel van de zondag.

Ze belt het ziekenhuis, de onzekerheid maakt haar gek, ze moet weten hoe het met het meisje is.

Maar op het moment dat ze verbinding heeft, realiseert ze zich dat ze niet eens haar naam weet en ze legt weer neer.

Daarna gaan de uren in een mist voorbij.

De kinderen hebben met hun feilloze intuïtie opgepikt dat ze beter uit de buurt kunnen blijven. Ze zitten aan tafel, waar ze schichtig naar hun moeder kijken, die met tegenzin kleine hapjes prikt van wat Jaap heeft klaargemaakt, en verdwijnen meteen na het eten weer naar boven.

Jaap begrijpt niet waarom ze het niet vertelt. Ze komen er toch achter, en in elk geval begrijpen ze dan haar stemming beter. Natuurlijk heeft ze dat zelf ook bedacht, maar ze kan het gewoon niet, hoe moet je de woorden vinden om zoiets te vertellen?

En dan gebeurt wat ze vanaf het moment van de aanrijding heeft geweten: een politieauto die voor hun huis stopt, twee agenten, die langzaam naar de voordeur lopen.

Het is inmiddels zondagavond en ze ziet ze door het raam in de voorkamer aankomen.

'Bent u mevrouw Lourens?'

Ze heeft geschreeuwd, vertelt Jaap later, en daarom is hij naar de voordeur gegaan, waar hij haar tegen de muur geleund aantrof, haar handen tegen haar mond geduwd.

De agenten hebben de boodschap tegenover hem herhaald. Dat het meisje helaas is overleden.

Hij heeft Anne, die niet meer aanspreekbaar was, naar de bank in de zitkamer gebracht, een paar kussens onder haar hoofd gelegd, en de huisarts gebeld. Daarna is hij het receptje en de medicijnen gaan halen.

Toen hij weer thuiskwam, lag ze nog net zo, te lamgeslagen om een wat makkelijker houding te zoeken.

Ze slikt de voorgeschreven tabletjes, en na korte tijd houdt het trillen op en de onrust in haar hoofd maakt plaats voor een helderwitte stilte waarin geen plaats is voor gedachten.

Prettig als je er de voorkeur aan geeft niet te denken, maar op een bepaalde manier net zo onrustba-rend.

Op maandagochtend meldt ze zich ziek.

De telefoon staat naast haar bed, ze hoeft er niet eens voor op te staan.

Ze hoort de verbazing in de stem van Atie, die ze kent van de typekamer en die nu haar nieuwe secreta-resse is.

Je ziek melden op de eerste dag van je nieuwe baan maakt een vreemde indruk, ze weet het, maar het raakt haar niet.

Ze zou werkelijk niet weten hoe ze het had moeten redden.

Dezelfde auto. Dezelfde weg. Langs de eiken, de bocht door, alsof er nooit iets gebeurd is.

Jaap heeft op zijn horloge kijkend gevraagd of hij iets voor haar kon doen, waarna hij, toen er geen ant-woord kwam, hoofdschuddend naar zijn kantoor is ge-gaan. Zijn secretaresse Jantien en Evert de assistent-accountant waren daar al zeker een kwartier aan het werk.

De kinderen zijn als bleke schimmen naar school verdwenen, nadat ze met hun hoofd om de hoek van de slaapkamerdeur 'dag mam' hebben gezegd. Ze hebben nergens naar geïnformeerd, terwijl ze haar een dag tevoren toch hebben horen schreeuwen bij de voordeur en haar later half versuft op de bank hebben zien liggen.

Er is iets ergs gebeurd in het huis waarin ze wonen,

met de moeder die nu als een vreemde rondloopt, maar liever dan weten wat er aan de hand is, willen ze dat het voorbijgaat, alles terug naar normaal, een vervelende droom die je het liefst zo snel mogelijk vergeet.

Als ze allemaal de deur uit zijn, zakt ze weg in een toestand tussen slapen en waken in. Het voelt alsof ze verlamd is; als ze haar arm wil oplichten om op haar polshorloge te kijken, lukt het niet.

Het is vreemd, maar niet belangrijk. Haar arm valt terug op het dekbed; het zou prettiger zijn als hij naast haar lichaam in de warmte lag, maar ook dat is niet belangrijk.

De dag is half voorbij als ze zichzelf zover krijgt dat ze opstaat, een handeling die ze in fasen verricht. Ze voelt zich pas wat beter als ze onder de douche heeft gestaan en zich heeft aangekleed.

Oude jeans, een grijze sweater, uitgerekt van het vele wassen, sokjes in mocassins, geen make-up.

Ze trekt de dekbedden recht, sprei erover, en propt de sierkussens tegen de muur.

Iedereen schafte indertijd van die kussens aan, het gaf een slaapkamer iets extra's, dat kon je in alle glossy's over woninginrichting zien. Nu komen ze haar popperig en overdreven voor met hun op elkaar afgestemde pastelkleuren.

Het is benauwd in de kamer, ze zet het raam half open. Op het tuinpad kijkt een merel met snelle, hoekige bewegingen om zich heen, en zit dan van het ene moment op het andere op de tuinmuur terwijl ze hem nauwelijks heeft zien bewegen.

Ze trekt haar schoenen uit en gaat op de sprei liggen.

Als ze in slaap zou kunnen vallen zou haar dat een paar uur nadenken besparen, maar slaap is een genade waarop je maar beter niet kunt rekenen als je hem nodig hebt.

In elk geval is ze thuis wanneer Jolien uit school komt, en dat is goed, want haar dochter is behoorlijk opgewonden. Smijt haar fiets tegen de zijkant van het huis, stormt naar binnen en zit met verwaaide blonde haren en gezwollen ogen tegenover haar.

Tussen de tranen en opwinding door proeft Anne een flinke dosis sensatielust bij haar dochter. De eerste schok is voorbij. Die kwam op school, toen de parallelklassen bij elkaar werden geroepen in de aula en te horen kregen dat hun medescholier Kirsten was verongelukt.

Daarna een klassengesprek. De opdracht allemaal iets voor Kirsten te maken, iets waaruit hun betrokkenheid zou blijken, een tekening, een gedichtje, een paar regels, voor een herinneringshoekje in de aula.

En deze middag gaan ze een monumentje oprichten in de berm, bij de eiken. Ze zeggen dat het de middelste is. Er wordt een foto van de klas, in plastic geseald, bij de eik gelegd.

En ze gaan allemaal hun lievelingsknuffel aan Kirsten geven.

Er komen ook ouders, vanmiddag.

'Mam, je gaat toch ook mee!'

Ze is al op weg naar boven.

Maar Anne is in een soort verstening geraakt. Het meisje heeft een naam gekregen en ze weet wie Kirsten is.

Hun vriendenkring overlapt gedeeltelijk die van Kirstens ouders. Een vrouw met asblond haar en een gebruind gezicht, en een man die over golf en de beurs praat. Beleefde gesprekjes als ze elkaar bij een barbecue tegenkomen. Ze kan zich niet herinneren ooit hun kinderen gezien te hebben.

Hun huizen staan niet meer dan tien minuten lopen van elkaar. Bizar dat je elkaar dan toch nooit tegenkomt.

Zij zullen nu wel weten wie hun dochter heeft aangereden.

Maar waarschijnlijk doet het er in dit stadium niet toe wie schuldig is aan haar dood. Het enige wat zal tellen is dat hun dochter van hen is weggenomen en dat het nooit meer goed komt.

Jaap heeft zondagavond een vriendje gebeld, een jurist. Dat is hij nog komen vertellen op de rand van hun bed, waarin ze suffig van de kalmerende middelen naar het plafond lag te staren.

'Het is nu dood door schuld, Anne. Het wordt een zaak, zegt Anton. Je hebt een advocaat nodig. Hij wil je wel helpen.'

Ze laat zijn woorden niet tot zich doordringen,

sommige berichten kun je toegang weigeren.

Evengoed zijn ze wel ergens in haar hoofd blijven hangen, want nu, een dag later, schieten ze haar te binnen. En ook dat Anton Dijkstra alles met de verzekering zal regelen.

Er komt heel wat administratie kijken bij een dodelijk ongeval, heeft hij gezegd.

'Je vrouw is er voorlopig nog niet vanaf!'

Jolien staat in de deuropening, met tranen in haar ogen, een wit pluizig konijn met afgesabbelde oren in haar armen. Het dier dat ze tot een paar jaar terug tegen zich aangedrukt moest hebben om te kunnen slapen. Het was een drama toen het een keer in een hotelkamer achterbleef. Een dag kostte het om het eind terug te rijden. Het konijn was al weggegooid maar kon nog uit een vuilnisbak worden opgevist. Het stonk naar friet en gebakken vis, maar Jolien hield het zielsgelukkig tegen haar borst geklemd tot ze in hun vakantiehuisje waren, en Anne het gruwend in een emmer sop duwde, tegelijk met de stinkende kleren van Jolien.

Zelfs nu zal het niet makkelijk zijn er afstand van te doen.

'Ga zitten,' zegt Anne. 'Ik moet je iets vertellen.'

In de ogen van haar dochter ziet Anne het beeld van zichzelf verwoest worden. Maar ze doet geen poging het verhaal mooier te maken. Iets wat trouwens ook niet goed mogelijk is.

De afschuw op het gezicht tegenover haar hakt erin.

'Hoe kón je!'

Alsof het een keuze was. Ze doet haar mond open om het nog een keer uit te leggen, maar de stoel tegenover haar valt op de grond, en de kamerdeur slaat dicht.

Door het raam ziet ze Jolien met het konijn tegen zich aangedrukt naar haar fiets rennen.

Ze vertelt het aan Casper als hij thuiskomt van school.

Natuurlijk is hij ook op de hoogte van het ongeluk, en hij zit wat ongeduldig tegenover haar aan de keukentafel, niet begrijpend waarom erover gepraat moet worden.

Hij trekt wit weg als het tot hem doordringt.

'Jezus mam, hoe kan dat nou!'

En als ze het nog een keer vertelt, bijna opgelucht: 'Verblind... daar kun je toch niets aan doen...'

Over het mobieltje durft ze niet te praten.

Jolien komt zonder konijn thuis als Anne staat te koken. Ze loopt zwijgend de keuken door en verdwijnt naar boven.

Maar Casper doet, leunend tegen het aanrecht, verslag.

Bijna de hele school was er, de meeste docenten en veel ouders.

Ja, hijzelf ook, zoiets wil je niet missen, zo vaak komt het niet voor.

De ouders van Kirsten waren er niet, maar wel haar zusje Nadine, die zo huilde dat niemand het droog hield, en alle meiden jankend om elkaars hals hingen, net als op de televisie als een of andere geflipte scholier in Amerika in het rond is gaan schieten.

Iedereen had bloemen en knuffels, het leek wel een speelgoedwinkel met al die beren.

Hij vertelt het bijna opgewekt. Maar elk woord voelt als zout in een wond.

Ze heeft de hele dag aan niets anders gedacht, het lijkt haar bijna ondenkbaar dat ze ooit ergens anders aan zal kunnen denken.

Aan tafel probeert ze te doen alsof er niets aan de hand is.

Alles lijkt alleen nog maar uit een 'doen alsof' te bestaan.

Het lukt voor geen meter.

Jolien, die eerst heeft geweigerd aan tafel te komen en door Jaap is gehaald – zijn lippen een smalle streep, hij heeft het niet op fratsen – doet geen mond open, behalve om er minimale hapjes eten in te stoppen. Casper begint een verhaal over rappen, dat ze na een paar minuten al niet meer kan volgen, behalve dan dat in Amerika de rappers op elkaar schieten en dat iemand die Snoop Doggy Dog heette, nu niet meer zo heet of dood is of iemand dood heeft gemaakt, in elk geval moet het erg zijn gezien de ernst op Caspers gezicht.

Ze zegt dat Ali B haar erg leuk lijkt, ze hebben vorig seizoen geprobeerd kaartjes voor de schouwburg te krijgen toen hij optrad, is het niet, Jaap, je moet allochtonen die iets bereiken zoveel mogelijk steunen, maar alles was al uitverkocht.

'Een rapper in de schouwburg...' smaalt Casper. 'Dan ga je toch af als een gieter. Een echte rapper is maatschappijkritisch en daar krijg je geen schouwburg mee vol.'

Ze kijkt haar zoon verbaasd aan. Voor zover ze weet is het de eerste keer dat hij die woorden gebruikt, ze wist niet dat hij ze kende.

Ze is blij als ze kan afruimen en kan ontsnappen aan het gezicht van Jolien, dat een combinatie van verdriet en woede uitstraalt.

Aan Jaap heeft ze niets gehad. Die kan soms een moeilijke situatie doorbreken met een grapje, maar vanavond leek het alsof hij er niet bij was met zijn gedachten.

Als hij zich ergens zorgen om maakt, heeft hij dat in elk geval nog niet aan haar verteld, en daar is ze blij om. Ze heeft genoeg aan haar eigen sores.

Ze stelt zich voor dat iemand door het raam heeft gekeken terwijl ze aan tafel zaten. Zou het voor een buitenstaander zichtbaar zijn dat er in dit royale huis, met een Volkswagen cabrio en een Saab voor de deur, een gezin om tafel zit dat van de ene dag op de andere niet meer normaal functioneert?

Het is het beste om bezig te blijven.

Alle automatische handelingen, etensresten van borden schuiven, de vaat afspoelen onder de kraan, de vaatwasser zo vullen dat er geen raakpunten zijn waardoor er scherven van het servies kunnen springen, al die dingen heel bewust doen, en dat is verdomd nog niet makkelijk, blokkeert het ontstaan van pijnlijke gedachten.

Als ze met koffie binnenkomt en zijn kopje bij hem zet, zegt Jaap zonder van de plaatselijke krant op te kijken: 'Je staat erin.'

Zijn vinger wijst en ze buigt zich half over hem heen om te kijken.

Foto en tekst staan op de voorpagina. Ze ziet haar auto in de berm, een politiewagen er half achter. Van de ambulance geen spoor, van haarzelf goddank ook niet. Achter de afzetting staan groepjes nieuwsgierigen, meer dan ze op het moment zelf dacht.

'Lees zelf maar.'

Jaap duwt de krant in haar hand en pakt zijn koffie. Ze gaat aan de eettafel zitten en legt de krant met trillende handen voor zich.

'Vrijdagavond is onze 14-jarige plaatsgenoot Kirsten Kooiman door een tragisch ongeval om het leven gekomen toen zij van een training op de sportvelden naar huis fietste. De politie kan in verband met het onderzoek nog geen nadere mededelingen doen, maar zeker is in elk geval dat alcohol geen rol heeft gespeeld in het rijgedrag van de 38-jarige automobiliste A. L., eveneens een plaatsgenoot. Het ongeval vond plaats in de bocht bij de drie eiken, waarover wij in deze krant al meerdere malen hebben geschreven dat het onverantwoordelijk is ten behoeve van een paar bomen mensenlevens op het spel te zetten.'

Jaap staat op en zet de televisie aan.

Het journaal, goddank even een excuus om niet te hoeven denken. Zelfmoordaanslagen, de ijskap op de Noordpool smelt, een belastingmaatregel die was aangekondigd wordt weer ingetrokken vanwege de negatieve reacties. Ze hoort Jaap achter zich iets mompelen over 'labbekakken, durven niks door te zetten, maar goed nieuws voor mijn klanten'.

Ze staat op bij het weerbericht, leunt in de keuken tegen het aanrecht. In de vaatwasser maakt iets een klikkend geluid dat ze niet eerder heeft gehoord, maar ze heeft geen zin om te controleren wat het is. Ze zou het liefst naar bed willen, maar ze is bang dat ze niet kan slapen als ze zo vroeg gaat, en de halve nacht zal liggen woelen.

Praten, denkt ze. Ik moet mijn verhaal kwijt, mijn kant van het verhaal, ik wil dat iemand zegt dat het erg is maar dat het overgaat, dat er een dag komt dat ik er niet meer aan denk.

Ze loopt naar de gang en trekt een kort jasje aan, het is pluizig, zoals het konijn dat nu in het donker tussen de andere knuffels bij de drie eiken ligt.

Ze steekt haar hoofd om de hoek van de deur.

'Is er nog koffie?'

'In de keuken.'

Ze trekt de voordeur achter zich dicht.

Marja en Paul woonden al in het rijtje, drie huizen verder, toen zij hun huis kochten.

Op de dag van de verhuizing stond Marja 's ochtends tussen de verhuisboxen om te vragen of ze die avond een hapje kwamen eten.

'Het hoeft niet lang te duren, maar je bent er even tussenuit.'

Later, toen ze ingericht waren, organiseerde Marja een kennismakingsborrel met de buurt, waar iedereen zich voorstelde met naam en huisnummer.

'Het voelt als een warm bad,' zei Jaap in zijn dankspeechje.

Van de vrouwen in de buurt is Marja de enige met wie ze close is.

Met de anderen kan ze goed opschieten, ze zien elkaar regelmatig op feestjes en barbecues.

'Wat gezellig!' zegt Marja als ze de deur opendoet.

Ze gaan in de keuken zitten, omdat Paul met Remco en Boudewijn in de huiskamer naar een voetbalwedstrijd kijkt.

'Ik vind dit zulke rotavonden. Dat geblèr van die televisie. Wat mannen toch aan die sport vinden. Maar er lopen wel lekkere dingen bij. Wijn? Of ben je nog in het koffiestadium?'

Het geluid van de televisie staat hard en spoelt als een branding de keuken binnen. Anne moet luider praten om zichzelf verstaanbaar te maken en dat is niet zoals ze het verhaal had willen vertellen.

Eerst ziet ze verbazing op het gezicht van Marja, daarna afgrijzen.

'Was jij dat? O mijn god, wat verschrikkelijk. Heeft ze nog iets gezegd...?'

En wat later: 'Je bedoelt de bocht hier vlakbij? Om de eiken heen? Dan was ze dus al bijna thuis!'

Het klinkt alsof ze bedoelt: had je niet even kunnen wachten met daar zijn?

Het gesprek gaat niet zoals Anne zich heeft voorgesteld, al zou ze niet kunnen zeggen hoe het anders had moeten gaan.

Hopen dat iemand, Marja of wie dan ook, de last van haar schouders kan nemen – hoe kwam ze erbij te denken dat zoiets mogelijk is?

'Wat zei de politie?'

Weer zo'n vraag, maar het zijn wel de vragen waarvoor iedereen zich interesseert, daar kan ze maar beter aan wennen.

'Dood door schuld,' zegt Anne. 'Het wordt een zaak.'

Terwijl ze het zegt realiseert ze zich dat ze er geen idee van heeft wat dat inhoudt. Een zaak. Ze zal voor de rechter moeten komen, ongetwijfeld een man met een zwarte toga en een streng gezicht.

Op dat punt stopt haar voorstellingsvermogen.

Ze ziet dat het fornuis niet is schoongemaakt. Een paar grote roodgekleurde vetvlekken en een sliertje pasta. Ze ruikt nu ook de vage geur van tomatensaus en kaas.

'Bedoel je dat je voor moet komen?'

Ze knikt.

Vanuit de kamer klinkt gebrul. Drie mannenkelen op volle kracht.

'Ach god, lieve schat, wat verschrikkelijk voor je! En

dat omdat je verblind werd. Pleit dat niet in je voordeel? Dat kan iedereen toch overkomen? En hoe voelt het, om iemands dood op je geweten te hebben, ik zou er niet tegen kunnen.'

Nee, wil ze zeggen, ik ook niet, en ik weet nu al dat ik het nooit zal kunnen.

Maar hoe durft ze het over zichzelf te hebben? Een paar minuten hier vandaan wonen mensen die hun dochter gaan begraven.

'Voor Kirstens ouders is het het allerergste,' zegt Marja.

Ze gaat na drie dagen weer naar haar werk.

'Een griepje,' heeft ze gezegd. Zo ziet ze er trouwens ook uit, met die donkere kringen om haar ogen, geen mens zal het in twijfel trekken.

'Waarom vertel je het niet gewoon aan Hiemstra?' heeft Jaap gezegd. 'Dacht je dat ze niet merken dat er iets met je aan de hand is?'

Maar ze kijkt wel uit. Ze heeft haar nieuwe baan gekregen om de problemen van andere mensen op te lossen, niet om zelf in de belangstelling te staan.

Ze stapt in haar auto met klamme handen en een wee gevoel in haar maag, en maakt zulke wijde bochten om fietsers heen dat tegenliggers claxonneren omdat ze op hun weghelft komt.

Ze weet dat ze slecht rijdt, te langzaam, te onzeker, alsof ze voor het eerst alleen in een auto zit.

Langs die plek rijden is het ergste.

De halve nacht heeft ze nagedacht over een manier om de weg langs de eiken te vermijden, maar die is er gewoon niet, tenzij ze een omweg van een uur maakt.

Ze rijdt de Vennenwijk uit, de zon tegemoet.

Spinnenwebben met glinsterende waterdruppels tussen de hoge grasstengels. Een gouden gloed over de weilanden en de wilgen langs de slootjes, en zwevend, dicht boven de grond, een dunne nevel die steeds doorzichtiger wordt.

'Hier is het altijd vakantie,' zeggen Jaap en zij nog steeds tegen elkaar, terwijl ze er toch langzamerhand aan gewend zouden kunnen zijn.

'Een paar straten van huis en we zijn buiten! Wat een bof dat we hier terecht gekomen zijn.'

Zelfs nu is ze gevoelig voor de schoonheid van het landschap. Ze zou willen stoppen om languit in het bedauwde gras te gaan liggen met haar ogen dicht. Wachten tot de zon meer kracht krijgt en haar droogt.

Niets meer hoeven. Niet naar haar werk en niet naar huis.

Net zo lang in een niemandsland blijven totdat ze het gevoel heeft er weer tegen te kunnen.

Het bermmonument valt trouwens niet te negeren.

In het voorbijrijden ziet ze de onwaarschijnlijke hoeveelheid bloemen, foto's en knuffels.

Ze zou moeten stoppen, het is het minste wat ze kan doen, als teken van respect, spijt, hoe je het maar noemen wilt, maar ze durft niet.

Je rijdt iemand dood en vervolgens ga je zielig staan

doen bij een gedenkteken. Zo zou zij er zelf over denken als het om iemand anders ging. Zoals je altijd exact weet waarom andere mensen dingen wel of niet moeten doen.

Doorrijden voelt ook niet goed.

Wie is er toch begonnen met die gewoonte om pluchen dieren, bestemd voor kinderarmen, achter te laten op de plek waar iemand is gestorven, vraagt ze zich af terwijl ze langs de sportvelden rijdt, die er kaal en verlaten bij liggen.

Reclame wordt er niet voor gemaakt. Ze heeft nog nooit de aanbeveling gelezen dat een bepaald merk speelgoedbeest wind en regen kan doorstaan.

Terwijl de verlaten tribunes alweer ver achter haar liggen, herinnert ze zich uit het krantenbericht dat het meisje daar vandaan kwam. Training van haar club, haar sportkleren in de rode sporttas.

Wat gebeurt er met zo'n fiets, vraagt ze zich in één moeite door af.

Kunnen ouders de aanwezigheid ervan in hun schuur verdragen, als eeuwige herinnering?

Er is veel te doen, je hoeft maar een paar dagen weg te zijn of het werk stapelt zich op, en terwijl Atie bezig is kasten en laden in te ruimen – de verhuizing van haar oude werkplek naar deze kamer heeft een dag eerder plaatsgevonden toen zij thuis was – loopt ze van de ene vergadering naar de andere.

Af en toe schiet het door haar heen, als een pijnlijke steek in haar maag, dat er iets verschrikkelijks is gebeurd door haar toedoen. Maar ze heeft geen tijd om erbij stil te staan en dat komt goed uit.

Na de vergaderingen heeft ze een gesprek met een headhunter. Die heeft de afgelopen jaren niet veel te doen gehad – zodra het economisch slechter gaat hoef je niet veel moeite meer te doen om de beste mensen te krijgen – maar hij is regelmatig langs blijven komen om zijn netwerk in stand te houden.

Ze drinkt koffie met de man en luistert naar zijn verhalen over wat zich in andere bedrijven afspeelt. Meestal is dat smullen, vooral omdat er een portie leedvermaak bij zit. Maar nu verveelt het haar.

Al die mensen die het zo verschrikkelijk druk hebben met belangrijk zijn.

Hij voelt haar desinteresse en stapt eerder op dan anders.

Als hij weg is, legt Atie een paar boodschappen op haar bureau.

Ze kijkt er vluchtig naar en schuift ze dan weg, waarna ze zonder veel gedachten uit het raam staart, waar de lucht na een miezerige bui nog steeds loodgrijs van kleur is.

Natuurlijk sturen de ouders van Kirsten haar geen rouwkaart.

Ze leest de advertenties in de krant. Van de ouders zelf. Van familie, de schoolleiding, de medescholieren, de volleybalclub.

Alleen Kirstens eigen klas gaat naar de begrafenis, de andere klassen zullen samenkomen in de aula voor een bezinningsuur, weet ze van Jolien, die weer tegen haar praat, al is het met mate.

Van Marja hoort ze dat de kennissenkring een bloemstuk stuurt. Ze heeft opgebeld om te vragen of Jaap en zij eraan mee willen doen.

'Het heeft iets schijnheiligs,' heeft Anne gezegd.

Dat is precies wat Marja ook dacht, al zou ze niet kunnen zeggen waarom.

'Dus niet...?'

'Beter van niet.'

Wat ze mist zijn gedragsregels. Wat je wel en niet kunt doen als je iemands dochter hebt doodgereden. Het is rondtasten in het donker in een onbekend gebied.

'De auto van de huisarts heeft een paar keer voor de deur gestaan,' zegt Marja.

Anne is even bij haar binnengevallen, iets wat ze vaker doet als ze niet al te laat van haar werk thuiskomt. Even de dag van zich afschudden met een glas wijn. Niet langer dan een kwartiertje, want dit is spitsuur in een gezin.

Het treft haar onaangenaam dat Heleen haar voor is geweest. Iets in de manier waarop Marja kijkt als ze Anne voor de deur ziet staan, aangevuld met de blik die Heleen op haar werpt, een fractie van een seconde voordat ze haar hartelijk begroet, geeft haar het gevoel dat ze beter een andere keer had kunnen aanbellen.

'We hadden het over Kirsten,' zegt Heleen, als Anne met een glas Spaanse rode wijn aan tafel zit. 'Maar dat is voor jou natuurlijk een rotonderwerp!' Ze legt haar hand op Annes arm. 'Aan de andere kant, het valt niet te vermijden, iedereen heeft het erover.'

Ze kijkt naar Marja, haar hand blijft op Annes arm rusten, het voelt niet prettig.

'Ze zullen wel stijf staan van de kalmerende middelen op de begrafenis, anders is zoiets toch niet op te brengen. En dan te bedenken dat het ergste pas daarna begint. De leegte in je huis, in je leven!'

Anne zit kaarsrecht, in haar hals gloeien warme plekken.

'Heb je al iets van je laten horen?'

Heleens stem klinkt te meelevend.

Anne heeft daar natuurlijk over nagedacht. Ze is het ook van plan, maar nu nog niet, het is te rauw voor de ouders. Want zo blijft ze hen in gedachten noemen: 'de ouders' en 'het meisje'.

Vooral geen namen, dat maakt het te pijnlijk.

Met de brief is ze in gedachten regelmatig bezig geweest, maar geen enkel woord dat ze bedenkt kan uitdrukken wat ze wil zeggen.

Spijt... vergiffenis... woorden die op allerlei situaties van toepassing kunnen zijn.

Wat is het armoedig dat je, als het er werkelijk op aankomt, geen woorden kunt vinden.

Ze ziet in de ogen die op haar gericht zijn dat er een antwoord wordt verwacht.

'Nog niet,' zegt ze.

'Ik zou er niet te lang mee wachten,' zegt Heleen.

Ze klopt een paar keer op Annes arm voordat ze haar hand terugtrekt.

'Het komt anders zo lomp over.'

3

Een ogenschijnlijk op zichzelf staand voorval.

Ze loopt bij de bakker binnen en merkt dat het gesprek tussen een paar vrouwen die ze redelijk goed kent, stokt.

Een blik in haar richting, een net iets te overdreven nonchalante groet. Geen van beiden maakt aanstalten een praatje met haar te beginnen, wat in zekere zin een opluchting is.

Ze gaat niet bij hen staan, wat ze normaal gesproken zou doen, maar wendt zich van hen af om aandachtig naar de koekjes in de vitrine te kijken.

Jan Hagel. Roomboterkoekjes. Amandelkoekjes. Weesper moppen.

Ze is opgelucht als de vrouwen met hun boodschappen verdwijnen.

Maar als ze zelf aan de beurt is, staart ze het meisje achter de toonbank aan alsof die ineens een andere taal is gaan spreken.

Het voelt vreemd leeg in haar hoofd en het meisje herhaalt een beetje verbaasd haar vraag.

'Brood. Geef maar wat.'

Het echtpaar naast haar kijkt verbaasd naar haar.

Ze heeft het ineens erg warm.
Het meisje achter de toonbank vertrekt geen spier.
'Wit of bruin?'
'Volkoren. Gesneden graag.'
Ze is blij als ze weer op straat staat.

Jaap vertelt diezelfde dag dat een cliënt hem heeft gevraagd hoe het mogelijk was, die aanrijding. Anne kwam toch van een partijtje van de zaak? Heeft dat er misschien iets mee te maken gehad?

Het heeft hem moeite gekost beleefd te reageren. Een klant is tenslotte een klant, maar het blijft vreemd dat zo'n man weet waar Anne vandaan kwam, en dan ook nog de insinuatie dat ze wel gedronken zal hebben.

'Je rijdt toch niet zomaar iemand omver,' zei de man ook nog.

Er heeft zich inmiddels een pittige discussie in het streekblad ontsponnen naar aanleiding van het ongeluk.

Voor- en tegenstanders van het omhakken van de drie eiken hebben hun wapens opgepakt en vol energie de strijd hervat, die in wekelijkse afleveringen in de rubriek 'Uw Mening Graag' plaatsvindt.

Ze maken elkaar en als het zo uitkomt ook Anne in felle bewoordingen af. Als je niet eens zo'n onnozele bocht kunt nemen zonder mensen dood te rijden, hoor je niet in een auto thuis. Moeten er voor zo iemand nu echt drie prachtige eiken sneuvelen? Is het niet veel simpeler om het rijbewijs van die vrouw in te nemen?

Na een paar weken zal het volgens Jaap rustiger worden op de ingezondenbrievenpagina, maar Anne haakt nu al af, beroerd van de schok dat mensen die haar niet kennen uitgebreide karakteranalyses van haar in een krant zetten, terwijl zij niets kan doen om zich te verdedigen.

Lang geleden, Jolien en Casper waren er nog niet, is ze in de haven waar een zeilboot van vrienden lag, van de steiger gevallen.

Ze ging met een schreeuw kopje-onder en verslikte zich in de gulp smerig water die haar mond vulde. Toen ze weer bovenkwam, vonden haar naar houvast klauwende handen alleen de glibberige, met alg bedekte paal van de steiger, terwijl haar voeten verward raakten in waterplanten. Ze was op ooghoogte met het water, ondoorzichtig groen met een film van olie erop waarin het zonlicht de kleuren van het spectrum toverde.

Jaap en zijn vrienden hadden haar snel weer op het droge, ze vonden het een reuzegrap en het duurde even voordat ze merkten dat Anne zich niet aanstelde maar werkelijk over haar toeren was.

Ze heeft in geen jaren aan het voorval gedacht, maar bij het lezen van de persoonlijke aanvallen schiet het haar te binnen. Misschien door de bittere smaak in haar mond, dezelfde als toen, die zich evenmin weg liet spoelen.

Net als die keer voelt ze zich verstrikt in een vijandig element, alleen zijn er deze keer geen helpende handen, ze moet het zelf zien te redden, en ze heeft geen idee hoe.

Met Marja lijkt het nog zoals altijd, maar steeds vaker vraagt ze zich af voor hoelang nog.

Er wordt over haar gepraat, ze merkt het aan ontelbare kleine dingen, en ze kan het de mensen niet eens kwalijk nemen.

Ze heeft iemands dood op haar geweten.

Maar dat neemt niet weg dat ze de enige echte vriendin die ze heeft niet kan missen.

Als je kleine kinderen hebt en niet werkt, heb je in no time een rits vriendinnen, die je helpen als je je kids ergens moet stallen. Heb je kleine kinderen en een baan, dan heb je het sociale leven van een marmot in winterslaap. Je hebt geen tijd voor sociaal contact met collega's, je moet immers zo snel mogelijk thuis zijn.

En met andere moeders aanpappen kun je vergeten. Als ze werken hebben ze net zomin tijd als jijzelf, en werken ze niet dan zijn ze terughoudend als een moslima die een Jehova's getuige aan de deur krijgt, want ervaring heeft hun geleerd dat ze van een werkende moeder weinig terug te verwachten hebben op het gebied van onverwacht inspringen als er een noodsituatie is.

Kort samengevat, moederschap kan als je werkt een eenzaam avontuur zijn – Anne heeft het in elk geval jarenlang als zodanig gevoeld.

Dat ze een vriendin heeft gevonden, iemand met wie ze kan praten over al die zaken waarmee je bij een man niet aan hoeft te komen, mag een wonder heten.

Voor Marja ligt dat heel anders. Die komt om in de vriendinnen, kennissen en bekenden. Gradaties waar Anne niet zoveel mee kan maar die voor Marja heel duidelijk liggen. Ze heeft toen Paul en zij aan kinderen begonnen, gekozen voor fulltime moederschap, iets waar ze naar eigen zeggen nooit spijt van heeft gehad.

'Hoeveel vrouwen hebben nou echt een leuke baan?' heeft ze weleens tegen Anne gezegd. 'Kijk om je heen, je uit de naad rennen voor een rotbaantje van twee en een halve dag per week, waar je met moeite de crèche van kunt betalen, dan ben je toch gek? Paul verdient het geld en ik geef het uit. En zolang we allebei tevreden zijn, is er niets tegen!'

Er zijn scheidingen geweest in hun buurtje, en als ze naar een verhuiswagen keek die de straat uit reed, en samen met de achterblijvers de door haar man verlaten vriendin uitzwaaide, was ze blij dat zoiets haar niet kon overkomen. Daarvoor zat het te goed tussen Jaap en haar, en laten we eerlijk zijn, daarvoor speelde seks een te onbelangrijke rol in hun leven. Wat zijn geheime verlangens ook zijn, ze weet bijna zeker dat vreemdgaan met een twintiger daar niet bij hoort.

Tot voor kort heeft ze daarom in de overtuiging verkeerd dat ze in deze nieuwe omgeving lang en gelukkig zou leven. Nu is ze ineens niet zo zeker meer van dat 'gelukkig'.

Sinds het ongeluk lijkt het alsof Marja nog maar één gespreksonderwerp kent: hoe de ouders van Kirsten met het verlies van hun dochter omgaan.

Het is behoorlijk tactloos; ze zou kunnen bedenken dat het voor Anne pijnlijk is om aan te horen, maar kennelijk is ze er zo vol van dat ze er niet over kan zwijgen.

De vader, die nog steeds niet kan werken. De moeder, die als een zombie rondloopt. En die arme Nadine, in één klap enig kind geworden. Barst af en toe in huilen uit in de klas. Mag niks meer van haar moeder omdat die bang is haar overgebleven kind ook kwijt te raken.

Ze schijnt iedere ochtend verse bloemen bij het monumentje te leggen, heel vroeg, als er nog bijna geen verkeer is. Ze is gezien door mensen in de buurt, die voor de file uit naar Schiphol gingen.

Zo dramatisch, die vrouw die daar helemaal alleen bij zo'n bermmonumentje staat. Haar man schijnt nooit mee te gaan; mannen reageren anders op die dingen, minder emotioneel zou je denken, maar dat zegt niets, mannen houden dat meer binnen.

Marja vertelt het uitgebreid, geen detail laat ze onvermeld.

Het lijkt wel alsof ze ervan geniet, denkt Anne, en schaamt zich meteen voor die gedachte.

Ondertussen is Marja bij haar favoriete onderwerp aangeland, de begrafenis. Dat er zoveel mensen waren, te veel voor in de aula, een onafzienbare stoet die tussen de graven door liep naar dat ene verse graf.

De ouders waren overeind gebleven, hadden anderhalf uur achter elkaar condoleances ontvangen, handen geschud, zich laten kussen.

Vooral de moeder was indrukwekkend, ze nam geen genoegen met een handdruk en een gemompeld woord van medeleven, maar wilde bijna gretig van iedereen weten wat de connectie met haar dochter was geweest.

Je moet er niet aan denken hoe hun thuiskomst is geweest, zegt Marja. Die lege stoel aan tafel. De slaapkamer waarin hun dochter nooit meer zal slapen. De kleren in de kast die niet meer gedragen zullen worden. Niet meer twee dochters die elkaar regelmatig in de haren vliegen, maar alleen de zwijgzaamste van de twee, die nu helemaal niet veel meer schijnt te zeggen.

Ja ja, nu weet ik het wel! zou Anne willen roepen.

Maar natuurlijk doet ze dat niet.

Wat ze wel doet is de brief schrijven, wat op zich een moedige daad is omdat ze er vanaf het begin van overtuigd is dat er geen woorden zijn om te zeggen wat ze voelt.

Dus gebruikt ze de afgekloven woorden die iedereen zou gebruiken in zo'n geval.

Dat ze zou willen dat ze het ongedaan kon maken.

Dat ze haar eigen leven zou willen geven als dat zou helpen, en nog wat van die loze woorden waarmee niemand gebaat is.

De dag nadat ze de brief 's avonds laat in de brievenbus van Kirstens ouders heeft laten glijden – hun ramen zijn de enige waarvan de gordijnen gesloten zijn – staat aan het einde van de middag, als Anne net thuis is van haar werk, Kirstens moeder voor de deur.

Een bleek, strak gezicht, met holle ogen die zonder emotie naar Anne kijken.

Ze wil weten hoe het gegaan is, zegt ze.

Binnenkomen wil ze niet. Ze blijft voor de deur staan, rechtop, alsof ze zal breken als ze haar ruggengraat buigt.

Maar Anne heeft de deurpost nodig als steun. De confrontatie is te onverwacht, de vraag te direct, de beelden van die avond staan op haar netvlies gegrift maar ze weet niet hoe ze ze onder woorden moet brengen. Ze hapert, ze stottert, ze moet tranen wegslikken omdat het te gek zou zijn, zij hier huilen en de moeder van Kirsten als een dood stuk hout tegenover haar.

Ze stamelt over blonde haren die ze uit het gezicht van het meisje heeft weggestreken. Het t-shirtje dat ze naar beneden heeft getrokken, over de piercing heen omdat het niet gepast leek, zo'n piercing bij een meisje dat daar wasbleek en stil in de berm ligt.

En dat de ambulancebroeders kwamen en ze het meisje daarna niet meer heeft gezien.

Dit allemaal in de deuropening van een prettig huis in een riante woonbuurt.

Twee vrouwen tegenover elkaar, waarbij het gezicht van de moeder alleen door kleine spiertrekkingen verraadt dat het leeft.

'Dank u,' zegt de vrouw formeel, terwijl ze zich omdraait.

Anne kijkt haar na. Ze heeft nog steeds de deurpost nodig als steun.

Het is wonderlijk hoe snel het gewone leven z'n loop neemt.

Het herinneringshoekje voor Kirsten is er nog steeds, zegt Jolien, maar je loopt erlangs, je hebt de tekeningen gezien, de gedichtjes gelezen en als het hoekje straks wordt leeggeruimd, zal niemand het missen, behalve de trouwe vriendinnen van Kirsten, die op onverwachte momenten in tranen uitbarsten en aan elkaar klitten voor troost.

Het moet verschrikkelijk voor ouders zijn om eerst een kind te verliezen en vervolgens te merken dat de herinnering aan het kind wordt uitgewist als een prent die te lang in daglicht heeft gehangen.

'Ach ja, Kirsten,' zeggen de mensen die haar kenden. 'Nog een heel leven voor zich... en dan zo'n dom ongeluk...'

Maar Anne is met haar gedachten vaker bij het gezin dat in diepe rouw is dan bij de mensen die ze iedere dag om zich heen heeft. Haar man, Casper en Jolien.

Ze wordt 's ochtends wakker met een loodzwaar gevoel in haar maag, het niet te dragen verdriet van een groot verlies. Dan komt langzaam het besef dat niet zij het is die een dochter heeft verloren, maar die andere vrouw, een paar straten van haar verwijderd.

Het geeft nauwelijks opluchting. Het is alsof ze zich niet meer los kan maken van haar, alsof ze op een bizarre manier met dat andere leven verweven is en ze een plechtige eed heeft gezworen dat zolang er in dat andere huis geen vreugde is, die er in haar eigen huis ook niet mag zijn.

Ze slaapt slecht, en vaker wel dan niet wordt ze geteisterd door nachtmerries. Een lichtje aanlaten helpt misschien.

Ze zocht het lampje op dat ze voor het laatst in de slaapkamer van Jolien heeft gebruikt.

Ze is niet erg geordend in het bewaren van dingen, maar de babyspullen en alles wat haar door de kinderen dierbaar is geworden, heeft ze opgeborgen in een paar verhuisboxen. Ze hoeft er geen vijf minuten naar te zoeken.

Het geeft een vertrouwd gevoel om het nachtlampje in de vorm van een konijntje in het stopcontact te steken.

'Wat krijgen we nou!' zegt Jaap.

Maar als ze hem de reden vertelt lijkt het hem een goed idee. In elk geval het proberen waard. Je een ongeluk schrikken omdat je vrouw midden in de nacht naast je ligt te gillen, is tenslotte ook niet alles.

Uit angst haar grip op de realiteit te verliezen, bijt ze zich vast in simpele zaken die in elk geval de schijn van een normaal gezinsleven in stand houden.

'Wat eten we mam?'

'Stamp rauwe andijvie met spekjes.'

'Lekker!'

Ze kookt de aardappels, snijdt met overdreven aandacht de andijvie in fijne reepjes, roert met een houten lepel de spekjes door de pan. De geur die ze altijd zo lekker vond maakt haar vaag misselijk.

De slagersworst staat in een pan net niet kokend water op temperatuur te komen. Ze warmt de melk die ze voor de puree nodig heeft. Ze stampt tot er geen klontje meer in de aardappels zit. De keuken is vol wasem. Wie door het beslagen keukenraam naar binnen kijkt ziet een moeder achter een hoge dampende pan in de weer met een stamper.

Voor vier mensen, denkt ze. Bij mij nog steeds voor vier mensen.

Ze probeert aan tafel het gesprek gaande te houden, een gesprek dat tot voor kort als vanzelfsprekend verliep. Maar haar man en kinderen lijken terughoudend, alsof ze voelen dat hun verhalen haar niet echt interesseren.

'Wat heb je gedaan na school?'

'O, niks bijzonders.' Jolien haalt haar schouders op. 'Huiswerk en zo.'

'Ik heb je bij school gezien,' zegt Casper.

Jolien kijkt hem aan, de kleur trekt weg uit haar gezicht.

'Volgens mij had je mot met je vriendinnen.'

'Waar bemoei je je mee!' Het snauwerige in Joliens stem is nieuw, en Anne kijkt haar onderzoekend aan.

Maar Jolien buigt zich over haar bord en zwijgt.

Later zal Anne aan het voorval terugdenken, terwijl het in feite te onbetekenend is om te onthouden. Maar er is iets in de reactie van Jolien wat haar alarmeert, al verdwijnt dat gevoel als Jaap iets vertelt over een klant die een zeewaardig schip heeft gekocht en hem heeft uitgenodigd voor een proefvaart.

'Gaaf, pap!' zegt Casper.

'Als je het maar uit je hoofd laat!' komt ze er fel tussen.

Het is meteen het einde van het gesprek. Ze is in korte tijd van een redelijk leuke moeder veranderd in iemand die overal een domper op zet, maar hij kan toch zelf ook wel bedenken dat ze er niet op zit te wachten met twee opgroeiende kinderen achter te blijven?

'Iemand nog een beetje?'

Maar ze hebben geen van allen meer trek, het is opvallend hoe snel de maaltijden tegenwoordig achter de rug zijn. Als ze morgen een soepje vooraf maakt, kunnen ze nog een dag van de stamp eten. Een meevaller.

Haar man en kinderen verdwijnen meteen nadat ze iets naar de keuken hebben gebracht. Jaap naar zijn kantoor – iemand met een zaak aan huis heeft altijd een excuus om zich af te zonderen. De kinderen naar hun kamer, waar ze hun eigen dingen doen en niet geconfronteerd worden met een moeder met schaduwen onder haar ogen. Een moeder die al wekenlang niet gelachen heeft.

Ze ontvluchten mij, en geef ze eens ongelijk, denkt ze, terwijl ze de vaatwasser inruimt.

Vier grote borden. Vier keer bestek.

Vier, niet drie.

Niemand kan het weten van het mobieltje, en toch voelt ze een zwijgend verwijt in de houding van hun vrienden.

We zijn tenslotte allemaal weleens verblind geweest achter het stuur, maar reden we dan ook meteen maar iemand overhoop...?

Precies!

Ze moet er niet aan denken hoe hun houding tegenover haar zou zijn als bekend was dat ze op het moment van de aanrijding haar telefoontje tegen haar oor hield gedrukt.

Het zou haar trouwens niet verbazen als er hier en daar opmerkingen over vrouwen achter het stuur worden gemaakt. Maar misschien verbeeldt ze het zich en praat niemand over haar. Ze is zo overgevoelig geworden.

Zo heeft ze al een paar keer het idee dat er iets met Jolien aan de hand is. Niet om een bepaalde reden, het is meer een gevoel dat af en toe de kop opsteekt, maar dat ook zo verdwenen is. Pubers hebben last van stemmingen, houdt ze zichzelf voor, wat ongelukkig uitkomt omdat het net de leeftijd is waarop ze zich meer gaan afsluiten voor hun omgeving. De tijd dat Jolien met haar problemen bij haar kwam, is duidelijk voorbij. Misschien moet ze meer moeite doen haar aan het praten te krijgen. Het gevaar is alleen dat dat over kan komen als opdringerigheid. Niemand heeft recht op de gedachtenwereld van een ander mens, ook niet als het je dochter is en je je zorgen maakt.

Ze hoeft alleen maar aan haar eigen moeder te denken, en hoe die een keer betraand aan tafel zat, Annes dagboeken voor zich. Alles wat ze in buien van machteloze woede over haar ouders had geschreven werd hardop voorgelezen, waarna zij zich ook nog moest verdedigen.

Haar wraak bestond eruit geen dagboek meer bij te houden, zodat iedere zoektocht van haar moeder – en wat was ze slecht in het uitwissen van de sporen daarvan – op niets uitliep.

4

Het is van dat typische oktoberweer, eigenlijk te warm voor de tijd van het jaar, je weet niet wat je aan moet trekken, en wat je ook kiest, het is altijd het verkeerde, te warm of te luchtig.

Ze is na het zondagse ontbijt de deur uit gelopen. De rivier is dichtbij. De schroef van een beurtschip woelt het water om, de herfstzon glijdt er in een gouden glinstering overheen.

Ze gaat in het gras tegen de dijk zitten, haar knieën opgetrokken, haar hoofd steunend in de kom van haar handen, en als de tranen over haar gezicht glijden is het niet van verdriet maar uit verlangen naar het leven dat tot voor kort zo simpel en overzichtelijk was.

Het belangrijkste waarmee ze op dit moment bij Hiemstra, Maas, De Jong bezig zijn, is een grote reorganisatie, die weer het gevolg is van een fusie met een ander technisch bedrijf. Mensen die dit jaar met pensioen gaan zullen niet vervangen worden. Voor andere werknemers wordt elders in het bedrijf een plek gezocht, en dan zijn er de pechvogels die er gewoon uit moeten, en dat zijn er niet weinig.

Er wordt dagelijks vergaderd met de ondernemingsraad, die meer wil weten dan de directie op dit moment vertellen kan. De sfeer in het bedrijf is om te snijden, de werknemers willen zekerheid en ze nemen het haar kwalijk dat ze die niet kan geven.

Zodra ze zich buiten de vier muren van haar kamer begeeft, wordt ze aangeklampt door collega's die officieus van haar hopen te horen wat ze officieel niet mag vertellen.

Ze probeert zo open mogelijk te zijn. Legt uit dat er te veel onzekerheden zijn om al iets te kunnen zeggen, de besprekingen zijn nog in volle gang, niets staat op dit moment vast.

Aan de ogen tegenover zich ziet ze dat haar woorden niet geloofd worden. Ze leest er afwisselend onzekerheid, angst en woede in.

Ze zou willen dat ze die weg kon nemen, maar de waarheid is dat ze niets te bieden heeft.

Op een middag staat Daan, de assistent-boekhouder, voor haar bureau. Hij is langs een protesterende Atie gelopen zonder zelfs naar haar te kijken, heeft Anne door de halfopen deur gezien.

Nu staat hij tegenover haar, een aardige man, jong en ambitieus.

Nog geen jaar getrouwd met een meisje van het secretariaat. Dat er over zijn lot al beslist is tijdens de eerste besprekingen, zal hij pas in een veel later stadium te horen krijgen.

Hij buigt zich naar haar toe, zijn handen op de rand van haar bureau. 'We hebben net een huis gekocht op basis van onze twee salarissen,' zegt hij. 'Mirjam is zwanger. Als ik eruit wordt gegooid kunnen we ons huis meteen in de verkoop zetten.'

'Alle persoonlijke aspecten worden meegenomen in de overwegingen,' hoort ze zichzelf zeggen.

En dat is een rotzin waarmee ze de minachting in zijn ogen ten volle verdient.

'Je moest je schamen dat je hieraan meewerkt,' zegt hij voordat hij zich omdraait en de kamer uit loopt.

Max is in zijn element.

Ze ziet hem regelmatig druk in gesprek met mensen die de bui zien hangen en die hopen dat hij iets voor hen kan doen. Een goed woordje bij de directie bijvoorbeeld. Een upgrading van hun taakomschrijving, waardoor ze ineens een stuk onmisbaarder lijken.

Hij groeit in die rol. Zijn hoofd een beetje schuin, bril op het puntje van zijn neus, een begrijpende glimlach. Het is allemaal vrijblijvend, maar ondertussen kweekt hij er goodwill mee.

En terwijl zij moet zien er voor iedereen het beste van te maken, zal zij het ook zijn die erop aangekeken gaat worden door de mensen van wie de positie niet te redden is. Max niet, en dat weet hij.

Over het hoofd van een zenuwachtig pratende collega van inkoop heen – hij heeft godbetert haar hand in de zijne – ontmoeten zijn ogen die van Anne.

Ze denkt aan zijn woorden, de avond dat haar benoeming bekend werd gemaakt.

'We komen elkaar nog weleens tegen!'
Het geeft haar een ongemakkelijk gevoel.

Ze heeft zichzelf altijd gezien als een betrokken werknemer.

Iemand met hart voor haar werk. Als je de hele dag te maken hebt met het wel en wee van andere mensen, kun je dat niet van je af laten glijden als je de deur van het bedrijf uit loopt. Zij tenminste niet.

Ze neemt de gebeurtenissen van de dag dan ook altijd mee naar huis, niet zo dat ze er last van heeft, zo professioneel is ze wel, maar op de achtergrond van haar gedachten blijft ze ermee bezig. Het komt haar nu goed uit. Je verdiepen in de problemen van anderen is een stuk eenvoudiger dan je eigen problemen onder ogen zien. Bijvoorbeeld het probleem dat er iedere dag een dagvaarding van justitie op de deurmat kan liggen, een oproep om voor de rechter te verschijnen, waarna ze voor het oog van de wereld veroordeeld zal worden.

Ze zal zeker een straf opgelegd krijgen.

Anton Dijkstra, de jurist die haar op verzoek van Jaap zal bijstaan, heeft haar gerustgesteld dat een gevangenisstraf waarschijnlijk niet aan de orde is. Ontzegging rijbevoegdheid en een werkstraf, is zijn inschatting. Er zal zwaar getild worden aan het feit dat ze een mobiel aan haar oor had toen ze het ongeluk veroorzaakte. Tenzij ze de rechter ervan weet te overtuigen dat dat niet het geval was, en die mogelijkheid bestaat gezien het feit dat ze er niet zeker van is dat ze op het moment van het ongeluk nog aan het bellen was.

Wanneer ze moet voorkomen valt niet te voorspellen. Het kan een kwestie van maanden zijn, maar het kan ook langer duren, heeft hij gezegd.

Onmenselijk eigenlijk, als je er goed over nadenkt, om iemand zo in spanning te laten zitten.

Over Jolien begint ze zich werkelijk zorgen te maken.

Het valt niet mee voor een klein, nogal verlegen meisje om zich te handhaven in een klas drukke tweedejaars.

Aan het einde van het eerste schooljaar had ze het aardig naar haar zin, maar haar vriendinnen zijn bijna allemaal in parallelklassen terechtgekomen, en in deze klas heeft ze weinig aanspraak.

Het is een kwestie van tijd, heeft Anne zichzelf voorgehouden, het schooljaar is tenslotte net begonnen, ze zal zich heus wel aanpassen. Je moet je als ouders niet meteen ergens mee bemoeien, laat ze maar leren haar eigen boontjes te doppen. Als ze haar moeder echt nodig heeft, zal ze heus wel aankloppen.

Maar de laatste tijd twijfelt ze daaraan.

Als die grijze ogen de hare ontwijken, wegvluchten zodra er oogcontact dreigt, dan is er iets goed mis. Jolien is altijd zo open geweest als een opgroeiend meisje maar zijn kan. Was al aan het vertellen terwijl ze de keukendeur nog niet achter zich dicht had, praatte door vanuit de gang terwijl ze haar jack over de minst volle haak aan de kapstok mikte.

Haar woorden werden vermengd met het geluid van de plas die ze te lang had opgehouden, de wc-deur open, een gedeelte van het verhaal werd meegespoeld als ze doortrok, en pratend kwam ze de keuken weer in, waar Anne met een glimlach de boodschappen uitpakte die ze na haar werk snel in de supermarkt had gehaald.

Terwijl ze honderduit praatte las ze de sms'jes die binnenkwamen, waarna ze met een onwaarschijnlijke snelheid een antwoord toetste en verstuurde zonder dat haar verhaal erdoor onderbroken werd.

Typisch een octopuskind van haar tijd, met in elke tentakel een communicatiemiddel.

Zo ging het tot voor kort.

Nu vertelt ze niets meer uit zichzelf, je moet de woorden uit haar trekken, en met haar mobieltje is ze nauwelijks meer bezig. Al een paar keer heeft Anne het, toen ze Joliens bed opmaakte, op haar bureautje zien liggen, in het glanzend roze hoesje. Niet meegenomen naar school. Wat een eerste levensbehoefte leek, lijkt nu geen functie meer in haar bestaan te hebben.

Het lijkt onwaarschijnlijk dat al die veranderingen toegeschreven moeten worden aan de puberteit, al weet Anne dat niet zeker.

Dat haar moeder de dood van een medescholier op haar geweten heeft is hard aangekomen, maar Anne kan zich niet voorstellen dat het hun relatie zo ingrijpend veranderd heeft.

Jolien neemt het Anne kwalijk, daar heeft ze geen

twijfel over laten bestaan, en ze heeft er verdriet om gehad, want een kind wil niet dat een moeder erge dingen doet.

'Hoe kon je, mam!'

Maar het tegenliggerverhaal had ook bij haar succes, en het is bovendien al een maand geleden.

Over Kirsten praat ze niet meer, in elk geval niet met Anne, en toch wordt die ontwijkende houding eerder erger dan minder.

Dus moet er meer aan de hand zijn.

Anne doet iets wat ze al veel te lang niet heeft gedaan.

Ze stapt op een avond de kamer van Jolien binnen, die om die tijd in bed hoort te liggen.

Maar haar dochter zit achter haar computer, met een uitdrukking op haar gezicht die Anne nooit eerder bij haar heeft gezien. Zo kijkt een volwassene die zojuist een vreselijke mededeling te horen heeft gekregen. Haar schrik als ze haar moeder in de deuropening ziet staan, is vermengd met boosheid.

'Je hebt niet geklopt!'

'Sorry,' zegt Anne.

Jolien schakelt de computer uit, maar blijft op haar stoel zitten. 'Wat is er?'

'Ik wilde even een praatje maken.'

'O.'

'Je lijkt zo anders dan anders.'

Het is niet echt een geweldige openingszin als je een goed gesprek met je dochter wilt hebben.

'O,' zegt Jolien weer.

Haar vingers glijden over het toetsenbord van de computer, het veroorzaakt een zacht klikkend geluid, als dat van paardenhoeven op een verre landweg. Het licht van de schemerlamp met de gebloemde kap naast haar werktafel werpt een zachtroze gloed op haar haren.

'Maar we kunnen natuurlijk ook een andere keer praten,' zegt Anne, terwijl ze zichzelf wel kan slaan omdat ze het zo snel en makkelijk opgeeft.

Jolien gaat er zonder aarzelen op in.

'Graag.'

Anne blijft nog even staan, maar voor Jolien is het gesprek duidelijk afgelopen. Ze begint boeken en mappen in haar rugzak te proppen, haar rug naar haar moeder gekeerd.

'Slaap dan maar lekker.'

'Ja mam. Jij ook.'

Anne zou haar dochter een nachtzoen willen geven, er was een tijd dat zoiets niet alleen vanzelfsprekend maar ook welkom was.

Ze aarzelt in de deuropening, in de hoop dat haar dochter zich om zal draaien, en trekt dan zacht de deur achter zich dicht.

Het is zoals iedere avond.

Jaap 'nog even' naar kantoor, Cas in z'n kamer, waar hij tegelijkertijd surft op internet, sms'jes verstuurt, chat en z'n huiswerk maakt. Hoe het mogelijk is dat hij toch op elk rapport voldoendes heeft, is haar een raadsel. Zij stamt uit de tijd dat de radio uit moest als er huiswerk werd gemaakt. En nog steeds kan ze zich niet concentreren als er geluiden om haar heen zijn. Maar voor de kinderen is dat geen enkel probleem, en voor zover zij weet is dat overal zo.

Ze pakt de NRC en begint het hoofdartikel te lezen, maar ze kan er haar aandacht niet bij houden.

Boven haar hoofd ligt haar dochter op hetzelfde moment misschien met wijdopen ogen in het donker te staren.

Wilde ze werkelijk niet praten of had Anne het anders moeten aanpakken? Meer aandringen misschien. Of gewoon vertellen dat ze zich zorgen maakt en dan maar afwachten of Jolien erop in zou gaan.

Zoals ze keek, toen ze achter haar computer zat. Wat speelde zich in godsnaam af op haar beeldscherm? Ze had ernaar moeten vragen.

Het is een kleine moeite om, als Jolien er niet is, in haar computer te zoeken naar het antwoord op vragen die moeizaam vorm krijgen in haar hoofd. Maar die inbreuk op de privacy van haar dochter doet haar te veel aan haar eigen moeder denken.

Toch blijven de vragen zich opdringen. Waarom ze Sanne bijvoorbeeld nooit meer ziet. De beste vriendin van Jolien, die al zo lang niet meer langs is geweest.

De duidelijke tegenzin waarmee Jolien naar school gaat.

Haar opvallende gebrek aan eetlust.

Het woord 'anorexia' flitst door haar heen, maar ze verwerpt het meteen. Voor die ziekte eet ze te veel, en ze is dan wel aan de magere kant, maar zeker niet zorgwekkend.

Er is duidelijk iets aan de hand, maar hoe komt ze erachter?

Ze was heel lang pappa's meisje.

Hij leerde haar fietsen, troostte haar als ze verdrietig was, las haar voor.

En Jolien verafgoodde hem. Een blinde verering die Anne beurtelings vertederde en irriteerde.

Zo moeilijk is het niet om een kind aan je te binden als je er alleen maar leuke dingen mee doet. Voor al het andere had Jaap geen tijd. Hij was een eigen zaak aan het opbouwen – dat was de toverzin waarmee hij alle huiselijke beslommeringen van zich afschoof. Zijn excuus om nooit iets te hoeven doen waar hij geen zin in had.

Maar hij ging wel met Jolien naar zwemles, waar Anne blij om was.

De herinnering aan de zwemlessen van Casper, het geworstel om na afloop droge kleren aan dat klamme lijfje te krijgen, het zweet dat al na een paar minuten in die vochtige hitte in het kleedhokje langs haar rug liep, ze had geen enkel verlangen dat opnieuw mee te maken.

De enige keer dat zij eraan te pas kwam was bij het afzwemmen van Jolien, waar ze samen met Casper naartoe fietste op een prachtige dag in mei, een bosje bloemen in haar hand om een feestelijk tintje aan dat officiële gebeuren te geven.

Tien bibberende meisjes op de rand van het bad, identiek door strak om het hoofd getrokken badmutsen.

'De derde van links!' wees Jaap, die apetrots naast haar stond.

Ze deed het goed, hun dochter, beter dan ze verwacht had.

Zelfs onderwaterzwemmen ging haar goed af, verwonderlijk want ze was als kind jarenlang in paniek geraakt als haar hoofd zelfs maar een beetje nat werd in bad. Drama's als haar steile blonde haren gewassen moesten worden.

Ze klommen op de kant, trokken hun badmutsen af en schudden hun haren. Er stonden een paar dikke kinderen in het rijtje, maar Jolien hoorde bij de slanken. Een lief figuurtje, een schattig smoeltje, zoals ze even later met een brede lach naar Jaap liep.

'Het ging goed, hè pap?'

Daarna pas: 'Hoi mam!'

Dat haar grote broer mee was gekomen maakte haar verlegen, maar ook trots bij de nazit, waar een paar meisjes giechelend belangstelling voor hem hadden.

De band tussen Jolien en Jaap werd losser toen zijn zaak goed ging lopen en hij meer werk had dan hij aankon, maar net te weinig om iemand in dienst te nemen. Dat was de periode waarin de vertrouwelijkheid tussen hem en Anne ook verschraalde.

Avonden die ze samen doorbrachten kwamen steeds

minder vaak voor. Meestal kwam hij pas boven als ze al in bed lag, en na een gemompeld welterusten viel hij als een blok in slaap.

'Ik doe het voor jullie!' zei hij, als ze er opmerkingen over maakte. Alsof het niet zijn droom was een eigen accountantskantoor te beginnen. Voor haar hoefde het niet. Ze hadden het leuker toen hij nog voor een baas werkte en regelmatige werktijden had.

Toen gingen ze bijna wekelijks naar het Filmhuis of ergens eten, en zakten door in hun eigen woonkamer, waarna ze tegen middernacht lacherig en met hun armen om elkaar heen naar de slaapkamer wankelden.

Nu zitten ze vaak zonder hem aan tafel, en dat was vooral in het begin wennen, want Jaap was een man met wie de kinderen konden lachen, terwijl Anne, moe na een lange werkdag, maar vooral van de uren die daarop volgden, nog weleens kortaangebonden kon zijn. Zonder Jaap eten maakte haar humeur er niet beter op.

Bovendien zag ze er werkelijk de zin niet van in dat hij tijdens de maaltijden op kantoor bleef en een paar uur later zijn eten in de magnetron stond op te warmen, onder het motto dat hij nu tenminste klaar was met z'n werk.

Maar het bleek ook voordelen te hebben dat Jaap een minder grote rol in Joliens leven ging spelen, want het bracht Anne en haar dochter dichter bij elkaar.

In het begin was er duidelijk tegenzin als ze Jolien voorstelde samen iets te gaan doen. Maar dat ging snel over. Het bleek wel degelijk leuk te zijn om op zaterdag samen te shoppen, dingetjes kopen die niet nodig zijn maar zo leuk om te hebben, milkshakes drinken en praten over zaken die in Joliens leven steeds belangrijker werden. Jongens bijvoorbeeld.

's Avonds keken ze regelmatig naar televisieseries waar de meeste mannen van over hun nek gaan. Jaap verdween naar zijn kantoor en Casper verliet demonstratief de kamer als ze zich op de bank installeerden voor een nieuwe aflevering van hun favoriete serie, maar zij genoten ervan.

Het was nieuw voor hen allebei. De vertrouwelijkheid groeide, bij vrouwen heeft dat niet zoveel tijd nodig.

De meisjesgeheimen die Anne steeds vaker toevertrouwd kreeg, gaven een extra dimensie aan hun verhouding.

Ze was te nuchter om te zeggen dat zij en haar dochter vriendinnen waren, ze zou zich van haar moederrol beroofd voelen, maar ze was er wel van overtuigd dat Jolien geen geheimen voor haar had.

Tot voor kort, in elk geval.

Het is het eerste jaar dat de kinderen vanuit school in een leeg huis komen. Na de jaren in de crèche, toen Casper naar de basisschool ging, bleek Suzan de ideale oplossing voor het opvangprobleem. Een roodharige, opgewekte studente, die halverwege de middag de tuin in fietste, thee zette, een rol koekjes leegschudde op een diep bord en de kinderen bezighield totdat ze door Jaap of Anne werd afgelost.

79

Verder deed ze niets, maar dat hoefde ook niet.

Als Anne uit haar werk kwam – de boodschappen voor het avondeten al in haar lunchpauze gedaan – ging ze in één moeite door aan de slag.

De ergste troep opruimen en het aanrecht toegankelijk maken voor de zaken die ze straks bij het koken nodig had.

Ondertussen probeerde ze een beetje contact te krijgen met haar kinderen, die duidelijk lieten merken dat ze daar geen behoefte aan hadden.

De verhalen die hun hoog zaten hadden ze na thuiskomst al bij Suzan gespuid, ze waren nu met andere dingen bezig en hadden de pest in als ze daarin gestoord werden om antwoord te geven op in hun ogen onbenullige vragen die hen allang niet meer interesseerden.

'Hoe ging het op school?'

'O, goed.'

'Veel huiswerk voor morgen?'

'Bijna niks.'

'Heb je plezier gehad?'

'Waar. Op school? Gaat wel. Hoe laat eten we?'

'Over een half uur.'

En weg waren ze weer. Net als Suzan, die zwaaide als ze langs het keukenraam fietste, haar rode haren wapperend in de wind, zo jong dat Anne er een steek van in haar maag kreeg, terwijl ze toch zelf niet echt oud kon worden genoemd.

Toen Casper naar de middelbare school ging, begon hij zich ervoor te generen dat er thuis een oppas op hem wachtte. Als hij vriendjes mee naar huis nam, zei hij dat Suzan er voor zijn babyzusje was, wat leidde tot knokpartijen als Jolien het hoorde. Die meteen ook vond dat ze te oud was voor een oppas.

Waarna Suzan meldde dat de theebekers meestal niet leeggedronken werden en ze de kinderen in het gunstigste geval vijf minuten zag voordat ze hun eigen dingen gingen doen, terwijl ze nu ze eindelijk afgestudeerd was zelf ook wel toe was aan een andere daginvulling.

Het oppastijdperk was duidelijk voorbij, iets waarmee Anne veel moeite had.

Diep in haar hart vond Anne dat moeders thuis horen te zijn als hun kinderen uit school komen. Ongeacht hun leeftijd. Net doen alsof je alleen maar een oogje in het zeil hoeft te houden als je kinderen klein zijn, is struisvogelpolitiek. Als ze ouder zijn, lopen ze minder risico om onder een auto te komen, maar dat neemt niet weg dat er genoeg enge dingen overblijven.

De maatschappij gaat met niemand zachtzinnig om en zeker niet met kinderen op wie niet voldoende gelet wordt.

Als er iets met Casper of Jolien gebeurde, zou het háár schuld zijn, niemand zou Jaap erop aankijken, geen mens verwacht dat een man zijn kostbare tijd aan zijn kinderen gaat besteden.

Op dit punt in haar gedachtengang was ze er rijp voor haar baan op te zeggen en thuismoeder te worden.

Totdat ze zich realiseerde hoe zo'n leven er in de praktijk uitziet, waarna het klamme zweet haar uitbrak.

Bizar was het natuurlijk wel, dat zij het altijd was die zich schuldig voelde waar het de kinderen betrof. Zich altijd zorgen maakte. Altijd probeerde zo veel mogelijk beschikbaar te zijn. Dat zag ze zelf ook wel in, maar omdat je met zo'n constatering niet veel opschiet, liet ze het er verder bij.

Jaap vindt trouwens dat hij royaal zijn mannetje staat in het huishouden.

Het treurige is dat hij het op zijn manier ook doet. De ene mens is nu eenmaal sneller tevreden over zichzelf dan de andere.

Hij zet een stapel vuile borden op het aanrecht en gaat de krant zitten lezen. Haalt eens per week spareribs bij de Argentijn en ziet dat als een bijdrage die minstens drie kookbeurten waard is. Als er al sprake is van kookbeurten.

De keren dat Anne hem duidelijk probeert te maken hoe klein zijn inbreng in het huishouden is, raakt hij uit zijn humeur. En een pissige Jaap die geen hand uitsteekt is erger dan een opgewekte Jaap, die haar een klap op haar kont geeft als ze voorovergebogen de stofvlokken onder de radiator vandaan zuigt.

Een goede reden om het onderwerp zo min mogelijk aan te snijden.

Sinds er geen oppas meer is die de kinderen opwacht na school, is zijn functie in het gezin opgewaar-

deerd. Hij werkt tenslotte thuis, al is het niet toege-
staan het kantoor binnen te gaan. Maar het gaat om
het idee, in noodgevallen is hij er.

'Wat voor noodgevallen?' wil Casper weten.

'Als je een arm breekt of zoiets,' zegt Jaap.

'En als m'n zakgeld op is?'

'Dan wacht je tot mamma thuis is.'

'Maar als ik een voorschot nodig heb en ze is er
niet? Moet ik dan eerst m'n arm breken om het te krijgen?'

'Niet als het om een voorschot gaat, daarvoor moet
je twee armen breken.'

Casper vindt het een goeie grap en Jaap is er zelf
ook niet ontevreden over.

Alsof het lollig is om grappen te maken over dingen
waarvoor je naar het ziekenhuis moet.

Het is een vaste huisregel: als de kinderen zich niet
lekker voelen, hoeven ze niet naar school. Zelfs als het
neigt naar schoolziek kunnen ze erop rekenen dat Anne hun dekbed en hoofdkussen op de bank in de woonkamer legt, met de afstandsbediening van de televisie
ernaast en koekjes en limonade binnen handbereik.

Het moet niet te vaak gebeuren, maar volwassenen
hebben recht op officiële baaldagen, waarom schoolkinderen dan niet.

Dus als Jolien met een zielig gezicht, haar handen
tegen haar buik gedrukt, in haar flanellen Disney-py-
jama voor Anne staat, die voor de badkamerspiegel
probeert om met gel nog iets van haar haren te maken,

zegt ze dat Jolien natuurlijk een dagje thuis mag blijven.

In de spiegel ziet ze het gezicht van haar dochter opklaren, maar de handen blijven demonstratief over de flanellen pyjamabuik gevouwen.

'Arm kind, is het weer zover?'

'Ik geloof het wel.'

'Ik dacht dat je een paar weken geleden ongesteld was.'

'Weet ik niet meer.'

Anne weet het ook niet meer, en dat geeft haar een ongemakkelijk gevoel. Heb je één dochter, kun je nog niet eens haar menstruatie een beetje in de gaten houden.

Ze kan zich met de beste wil van de wereld niet herinneren hoe regelmatig ze zelf op die leeftijd was. Alleen het gevoel weet ze nog, alsof ze met haar vingers tussen een deur geklemd zat, maar dan in haar buik, zodat ze met een kruik tegen zich aan gedrukt in bed zat te wiegen van de pijn.

'Gaat vanzelf over als ze eenmaal kinderen heeft,' zei de huisarts tegen haar moeder.

Ze kreeg uiteindelijk toch pijnstillers van hem, die haar een beetje suffig maakten maar de pijn naar de achtergrond deden verdwijnen.

'Neem maar een paracetamolletje als het erg wordt,' zegt ze nu tegen haar dochter.

Door haar ontbijt over te slaan redt ze het nog net om Joliens dekbed en hoofdkussen samen met de noodzakelijke attributen op de bank te leggen.

Het hoort niet, de deur uit stappen en een ziek kind achterlaten. Dat het niet om iets ernstigs gaat, is een schrale troost. Een ziek kind zou een moeder in de buurt moeten hebben, maar waarom zou het eigenlijk niet 'een vader in de buurt' kunnen zijn? Sterker nog, er ís een vader in de buurt, tien meter van de bank in de voorkamer verwijderd, gescheiden door een gang en een deur, maar hij zou net zo goed in Timboektoe kunnen zitten.

Als Jaap de deur van het woonhuis achter zich dicht heeft gedaan, is hij niet meer beschikbaar, zo simpel ligt het.

De volgende ochtend wil Jolien weer thuisblijven, ze huilt als ze zegt dat ze nog steeds zo'n pijn heeft, en dat betekent dat er echt iets aan de hand is.

'Je moet naar de dokter, Jolien. Ik zal een afspraak voor je maken. Straks is er iets met je blindedarm!'

Jolien knikt, allang blij dat er verder geen problemen worden gemaakt.

De volgende dag zal ze naar het spreekuur gaan, ze belooft het, en ze kan echt wel alleen, ze is toch al dertien, dan ga je niet meer aan het handje van je moeder naar de dokter.

Die avond belt de huisarts op. Hij heeft niets kunnen ontdekken, maar dat zegt natuurlijk niet alles. Hij heeft het gevoel dat er misschien iets anders aan de hand is. De antwoorden die Jolien gaf waren nogal tegenstrijdig, er kwam geen ziektebeeld uit naar voren, alleen vage klachten. Hij wil haar met alle plezier doorverwijzen naar een gynaecoloog, maar misschien heeft het zin eens goed met haar te praten. Pubers kunnen vreselijk gebukt gaan onder dingen die volwassenen over het hoofd zien.

'Hoe dan ook wil ik haar meteen zien als ze weer pijnklachten heeft,' zegt hij. 'En eet ze wel genoeg? Ik vind haar aan de magere kant!'

Anne vertelt wat de dokter heeft gezegd en Jolien schrikt er zichtbaar van. De volgende ochtend verschijnt ze aangekleed in de keuken, een beetje witjes, dat wel, maar zonder ergens over te klagen vertrekt ze na het ontbijt naar school.

Die avond, Casper is naar een vriendje en Jaap is nog even naar kantoor, vraagt ze aan Jolien of er echt niets aan de hand is.

'Natuurlijk niet,' zegt die kribbig.

'Je weet dat je alles tegen me kunt zeggen.'

Jolien werpt haar een snelle blik toe; het is natuurlijk onzin maar het lijkt wel alsof ze iets van medelijden in haar ogen ziet.

5

'Red je het een beetje?'

Annes moeder houdt niet van inleidingen. Als je iets wilt weten, vraag het dan en draai er niet omheen, is haar stelregel. Bovendien is telefoneren vanuit Spanje niet goedkoop, en de telefoon is het grootste deel van het jaar het enige communicatiemiddel dat ze met haar dochter heeft.

'We maken ons zorgen om je. Heb je die dagvaarding al gekregen? Ik blijf het vreemd vinden dat je veroordeeld kunt worden voor iets wat je niet expres hebt gedaan. Laten ze liever moordenaars gaan vangen.'

'Moeder, alsjeblieft,' zegt Anne.

'Ik heb het gevoel dat ik eigenlijk bij je in de buurt zou moeten zijn. Als het aan mij lag, kwamen we terug, maar je weet hoe je vader erover denkt.'

Anne weet het. Haar vader is een pensionado in hart in nieren.

Hij geniet van het nietsdoen in een prettig klimaat. Van ontbijten in een bermuda in de zon op z'n eigen terras, ronddobberen in z'n lauwwarme zwembad, en borreltjes drinken met de Nederlandse vrienden die in hun omgeving een soortgelijk leven leiden.

Een tanige, gebruinde man, die zijn hele leven hard gewerkt heeft en nu doet wat hij wil. Teruggaan naar Nederland is geen optie. Dat zijn vrouw daar anders over denkt, en dat ze haar enige dochter en kleinkinderen mist, is haar probleem.

'Waarom kom je niet naar ons toe? Het zal je zo goed doen er even tussenuit te zijn. Maar het kan zeker weer niet vanwege je werk. Arm kind, het lijkt me verschrikkelijk iedere dag geconfronteerd te worden met de plek waar het gebeurd is. Kon ik maar iets voor je doen.'

'Niemand kan iets voor me doen,' zegt Anne.

Het klinkt dramatisch, maar terwijl ze het zegt beseft ze dat het de waarheid is.

Het wordt november.

Het is fijn dat het eindelijk afgelopen is met die stralende, zonovergoten oktoberdagen. Van die dagen waarop je net als alle andere mensen blij hoort te zijn met dit cadeautje van moeder natuur, terwijl je het liefste stortbuien zou zien, iedere dag opnieuw. Windvlagen die paraplu's de lucht in jagen.

Voorovergebogen over straat lopen zodat mensen niet zeker weten of ze je nu wel of niet tegenkomen.

Want ze kan het gevoel niet van zich af zetten dat er op haar gelet wordt. Ze verbeeldt zich dat ze kan horen wat mensen tegen elkaar zeggen nadat ze haar gepasseerd zijn.

'Dat is die vrouw van dat ongeluk, je weet wel...!'

En natuurlijk weet de ander het wel.

Het bermmonumentje is er immers nog steeds, met telkens verse bloemen, en met tegen de boom gespijkerd een door plastic beschermde foto van Kirsten.

Hoe zou iemand die in deze buurt woont het niet kunnen weten?

Een paar straten van haar huis, op een zaterdag, op weg naar de supermarkt, is ze de ouders van Kirsten tegengekomen.

Dat wil zeggen, ze zag hen in de verte, waarna ze de eerste de beste zijstraat in schoot.

Als ze hen niet had herkend, zouden ze haar toch zijn opgevallen door de manier waarop ze liepen. Hij met zijn arm door de hare. Zij bijna onzichtbaar leunend op hem. Er hing iets ouwelijks om hen heen. Al kon dat ook projectie zijn. Ze zijn zozeer een deel van haar leven geworden dat ze emoties van zichzelf aan hen heeft toegedicht.

Met het slechte najaarsweer begint goddank het anonieme tijdperk, waarin je alleen nog maar de straat op gaat als het moet.

Atie zegt dat nu de gezellige tijd aanbreekt, van vroeg schemeren bij de open haard. Met een borreltje erbij natuurlijk.

Het zijn van die opmerkingen waardoor Anne zich telkens realiseert dat Atie geen kinderen heeft.

De tijd van borreltjes voor het eten ligt voor Anne in een ver verleden, zoals nog een handvol andere dingen waar ze ooit van genoot maar die bijna ongemerkt uit haar leven zijn verdwenen.

Als ze thuiskomt van haar werk, duikt ze meteen de

keuken in, een glas wijn op de vensterbank, en tegen de tijd dat ze na het eten klaar is met de klusjes die er altijd zijn, is het de moeite niet meer om de haard aan te steken.

Najaar betekent voor haar dat de dagen steeds meer op elkaar gaan lijken, een brij van in de schemer naar haar werk gaan en in de schemer thuiskomen, ze heeft die periode nog nooit in verband gebracht met het begrip 'gezelligheid'.

Het regent veel, de eerste dagen van november, wat lange files oplevert zodat ze nog later thuis is dan normaal.

Aan de kapstok hangen de doorweekte regenkleren van de kinderen.

Hun laarzen staan bij de voordeur, in plekken opgedroogde modder. Het heeft geen zin de gangvloer te dweilen zolang dit weer aanhoudt.

Maar de temperatuur blijft hoog voor de tijd van het jaar.

Haar vachtlaarzen staan nog in de kast op zolder. Eigenlijk zou ze een nieuwe jas moeten kopen voor dit tusseninweer. Te koel voor zomerkleren, te warm voor wol.

In de tuin bloeien naast de paarsblauwe herfstasters nog steeds rozen, het is een wonder hoeveel water en wind die ogenschijnlijk tere bloemen kunnen hebben. Het is prettig om voor het raam te staan en ernaar te kijken, zonder aan iets te denken, maar dat lukt nooit lang. Haar gedachten hebben de gewoonte aangenomen altijd op hetzelfde punt te belanden, wat de uitgangspositie ook was.

'Je schudt weer met je hoofd,' zegt Jaap.

'Ach welnee.'

Maar ze weet dat hij gelijk heeft.

Ze probeert letterlijk onwelkome gedachten van zich af te schudden, maar het zijn er te veel en het helpt altijd maar even.

Ze gebruikt sinds kort een slaapmiddel.

'Ik heb last van nachtmerries,' heeft ze tegen de dokter gezegd.

De ouders van Kirsten Kooyman zijn patiënten van hem, ze heeft hem nooit iets hoeven vertellen, maar nu kijkt hij haar vragend aan.

'Nachtmerries over het ongeluk?'

Ze knikt.

'Hoe gaat het verder met je?' wil hij weten.

'Als ik maar kon slapen!'

Hij overhandigt haar een receptje.

'Voor een maand. Daarna wil ik je graag weer zien.'

Ze knikt. Allang blij dat hij niet verder vraagt.

Iedere ochtend houdt Anne even haar auto in bij het bermmonumentje. Het is een soort groet, een bewijs van respect, hoe ze het precies moet noemen weet ze niet, maar in elk geval is het onmogelijk er gedachteloos aan voorbij te rijden.

'Paulien is er een paar keer per week mee bezig, al komt de regen met bakken uit de lucht. Ze is er vaker dan op het kerkhof, wat toch vreemd is, want dáár ligt haar dochter,' heeft Marja op een bijna verongelijkte toon gezegd.

Er zijn nu eenmaal gedragscodes waaraan je je te houden hebt, ook als ouders van een verongelukt kind, en het gaat niet aan om te staan treuren bij een boom langs een B-weg als je dochter een kilometer verderop haar laatste rustplaats heeft.

Anne heeft ergens gelezen dat die monumentjes niet eeuwig mogen blijven. Op een dag worden ze geruimd; de overheid vindt dat het automobilisten te veel afleidt, stond er in het artikeltje.

Ze heeft het voor kennisgeving aangenomen.

Wat ze ervan zal vinden als het monumentje op een dag verdwenen zal zijn, weet ze niet. Het lijkt haar vreemd kaal. En ook niet eerlijk. De drie eiken zijn dan alleen nog maar bomen die wat onhandig in een bocht van de weg staan. Mensen zullen er hun honden uitlaten, die op de plek waar het blonde hoofd van Kirsten rustte, hun poot zullen oplichten.

Op den duur zullen weinigen zich herinneren wat daar is voorgevallen.

'Hier ergens is je weet wel... Was het nou bij de eerste of de tweede boom?'

Dan liever de dagelijkse confrontatie, die tegelijk ook een soort straf is.

'Kijk, dát heb je op je geweten, vergeet dat vooral niet!'

En dan te bedenken dat het echte oordeel nog geveld moet worden.

Jaap begint genoeg te krijgen van de begrafenissfeer in huis.

Hij gebruikt exact die woorden, terwijl hij tegen het aanrecht geleund staat en af en toe een stap opzij doet als ze achter zijn rug iets nodig heeft.

'We gaan nergens meer naar toe, we zien niemand meer,' zegt hij. Hij houdt haar tegen als ze dicht langs hem heen loopt op weg naar de houten snijplank die aan de muur hangt.

Als hij zijn armen om haar heen slaat ruikt ze de geur van sigarenrook in zijn jasje.

'Als je dat jasje morgen over de trapleuning hangt, breng ik het wel even naar de stomerij,' zegt ze.

Hij heeft haar alweer losgelaten, en kijkt nu naar haar met een uitdrukking op zijn gezicht die ze niet kan plaatsen.

Of misschien ook wel. De handigheid waarmee ze iedere omhelzing van hem een voortijdige dood laat sterven zal hem langzamerhand aan het denken zetten. Als het daar maar bij blijft, is het haar allang best.

Ze legt de rode kool op de snijplank en pakt het grote mes.

'Kun je kant en klaar kopen, die kool,' zegt hij.

'Werkelijk?' Ze kijkt niet op.

'Ik weet dat je er geen zin in hebt, maar ik vind dat we vrijdag naar het feestje bij Marja en Paul moeten gaan.'

En als ze blijft zwijgen: 'Je moet je eroverheen zetten. Anders hebben we geen leven meer!'

Zijn opgewektheid, die opvallend verminderde toen hij aan een eigen zaak begon en waarvan ze de restanten de laatste tijd met succes aan het uitroeien is, was wat haar het meeste in hem aantrok toen ze elkaar pas kenden.

Hij weigerde gewoon zijn goede humeur door wat of wie ook te laten beïnvloeden. Terwijl zij dagen uit haar doen was als ze een boek had gelezen dat niet goed afliep, haalde hij zijn schouders op als hij voor een belangrijk tentamen gezakt was.

Ze was net twintig en Jaap was met zijn drie jaar voorsprong, en de babbels die hij in het corps had opgestoken, iemand tegen wie ze opkeek.

Hij had overzichtelijke toekomstplannen, zodat het niet verwonderlijk was dat een deel ervan uitkwam. Het eigen accountantskantoor bijvoorbeeld, en wonen in het betere deel van een middelgrote plaats, waar het sociale leven zich afspeelt op tennisbanen, golflinks en party's.

Het leven kortom dat hij kende van thuis, waar zijn vader als notaris tot de notabelen had behoord totdat hij op een mistige decemberavond de auto waarin hij met zijn vrouw van een bezoek aan vrienden terugkwam, voor zijn eigen huis achteruit in het kanaal parkeerde.

'Welke jongen van zijn leeftijd wil worden als zijn eigen vader?' riep Annes vader na de eerste keer dat ze Jaap mee naar huis had genomen. 'Ik ben toevallig een rijke stinkerd geworden, maar op die leeftijd wilde ik op de barricades. Zo hoort dat. Wie kiest er nou voor om een ouwe lul te zijn op de leeftijd dat de hele wereld voor je open ligt.'

'Ga reizen nu het nog kan!' had hij tijdens de maaltijd tegen Jaap gezegd. 'Die dromen van jou wachten wel. Leef gevaarlijk. Ga vreemd... Bijvoorbeeld...' voegde hij er snel aan toe na een blik op de gezichten van zijn vrouw en dochter.

Jaap had alleen maar vriendelijk glimlachend geknikt.

'Aardige vent, die vader van je,' zei hij toen hij Anne aan het einde van de avond naar haar kamer in Utrecht bracht voordat hij zelf doorging naar Leiden.

Ze was nog maar net thuis weg, had moeite met het alleen zijn en nam een roodbonte kater om haar gezelschap te houden. Toen die op een dag spoorloos verdween en zij ontroostbaar was, ging Jaap zonder dat ze het wist naar het asiel om een andere kat te halen.

'Als we Rakker terugvinden heb je twee leuke katten,' zei hij, toen hij met de nieuwe kat in zijn armen voor haar stond.

Typisch Jaap, elk nadeel heeft z'n voordeel, het was al voor Cruyff zijn lijfspreuk.

Niet lang daarna gingen ze samenwonen.

Anne werkte op personeelszaken van een klein bedrijf en volgde in haar vrije tijd de ene cursus na de andere. Jaap studeerde af en werd assistent-accountant.

Ze trouwden toen ze Casper verwachtte.

Hun leven ontrolde zich als een landkaart waarop elk gebied verkend en benoemd was. Het had iets veiligs en vertrouwds, twee begrippen waaraan vaak een derde vastkleeft: saaiheid.

Een jaar na haar huwelijk kochten haar ouders het huis in Spanje, en voor het einde van datzelfde jaar waren ze geëmigreerd.

Ze heeft het hen nooit helemaal vergeven.

Als ze haar strakke zwarte jurk aantrekt merkt ze dat ze is afgevallen. Zonder dat ze er enige moeite voor heeft hoeven doen. Ze heeft niet rondgelopen met een hongergevoel, heeft niet iedere ochtend op de weegschaal staan wiebelen om het gunstigste gewicht af te dwingen, en evengoed een paar kilo eraf.

Het geeft geen enkele voldoening.

Bovendien staan die wat ingevallen wangen haar slecht.

Ze gebruikt meer make-up dan normaal, de blusher geeft een gezond tintje aan haar gezicht. De nieuwe lipstick, die het op de reclamefoto's van een bekend model geweldig deed, blijkt ook in het echt verleidelijk te glanzen.

Als laatste rommelt ze met haar handen door haar krullen, terwijl ze zichzelf kritisch in de spiegel bekijkt.

Het kan ermee door, denkt ze.

Dat vind Jaap kennelijk ook. Hij fluit zachtjes tussen zijn tanden als ze de kamer binnenkomt, trekt haar tegen zich aan, zijn handen op haar billen, en zoent haar hals, wat haar met een vaag gevoel van geringschatting vervult. Zo weinig is er dus voor nodig om succes bij hem te hebben. Jezelf een beetje oplappen en vooral niet laten merken wat je voelt of denkt.

Alle lichten zijn aan bij Marja en Paul. Door de beslagen ramen ziet Anne dat de kamer al vol is. Wat verschrikkelijk om de komende uren met een glas in haar hand te moeten babbelen met al die mensen, denkt ze.

Maar Jaap heeft er zin in, hij versnelt zijn pas, duwt de voordeur open die op een kier staat en mikt haar shawl op de jassen aan de overvolle kapstok.

Als ze in de deuropening van de kamer staan, lijkt het alsof de gesprekken even verstommen en iedereen naar hen kijkt. Het duurt zo kort dat het best mogelijk is dat ze het zich verbeeldt.

Marja komt op hen af, balancerend op iets te hoge hakken, een halfvol glas in haar hand.

'Wat leuk dat jullie er zijn!'

Ze simuleren een wangzoen zonder dat hun gezichten elkaar raken. Jaap krijgt wel een echte zoen, ziet Anne.

Ze kijkt om zich heen. De meeste mensen kent ze, ze glimlacht terug als ze gegroet wordt en heeft tegelijkertijd het gevoel dat andere mensen demonstratief niet in haar richting kijken.

Zelfs als ze het zich alleen zou verbeelden, is het een gewaarwording die haar onzeker maakt.

Ze pakt een vol glas van de dranktafel bij het raam.

Een paar huizen hier vandaan zitten Jolien en Casper nu televisie te kijken. Vrijdagavond. Als ze niet gaan stappen, mogen ze opblijven zolang ze willen, wat in de praktijk betekent dat het zelden later dan twaalf uur wordt. Ze heeft lekkere dingen voor ze gekocht en in schaaltjes klaargezet. Er is een film met Bruce Willis op de televisie, goed voor het betere knokwerk, heeft Casper verteld.

Ze zou het liefst rechtsomkeert maken om er samen met hen naar te kijken.

Ze draait zich om als iemand haar naam noemt.

'Hoi Paul!'

Hij kust haar licht op haar mondhoeken.

Ze is blij dat ze hem ziet, het is gênant om in een volle kamer niemand te hebben om mee te praten.

'Weet je al iets?'

Ze schudt ontkennend haar hoofd.

'Het kan lang duren heb ik me laten vertellen. De molens van justitie malen langzaam. Het lijkt me tergend voor jou.'

Ze knikt.

Hij legt een hand op haar arm.

'Sorry. Ik had er niet over moeten beginnen, maar ik heb je zo'n tijd niet gezien. Je houdt je een beetje schuil, is het niet? Volgens Marja haal je je boodschappen ergens anders.'

Anne is geschokt. Het is waar wat hij zegt, maar ze heeft om de een of andere reden gedacht dat alles wat ze aan Marja vertelt niet verder komt.

Na het voorval bij de bakker rijdt ze, als ze er ook maar even tijd voor heeft, naar een klein winkelcentrum in de buurt van haar werk.

'Sorry,' zegt hij weer, en verwisselt het lege glas in haar hand voor een vol. Ze heeft niet eens gemerkt dat ze ervan gedronken heeft.

Na drie glazen wijn valt de avond eigenlijk best mee.

Ze ontmoet een stel dat nog niet lang in het buurtje woont, en praat met hen over adresjes en de beste clubs voor de kinderen. Het zijn leuke mensen. Voor allebei is het een tweede huwelijk. Met twee kinderen uit haar eerste huwelijk, een derde van hen samen, en zijn twee kinderen die om het weekend komen logeren, bestaat hun huis voornamelijk uit slaapkamers, vertellen ze lachend.

'Het lijkt me knap ingewikkeld,' zegt Anne.

Ze worden ineens een stuk serieuzer. Het is zeker ingewikkeld. Zijn kinderen hebben de pest aan haar omdat zij hun vader van hun moeder heeft afgepikt. Zo zien tieners dat. Weten die veel dat hun ouders al jaren op elkaar uitgekeken waren. Een weekend waarin zijn kinderen komen logeren eindigt steevast in ruzie. Nou ja, als je zoiets weet is het alweer makkelijker ermee om te gaan.

Er komen andere mensen bij staan, het gesprek wordt algemener en geanimeerd. Eigenlijk voelt het wel goed om weer eens op een feestje te zijn. Ze drinkt haar vierde glas en merkt dat ze op een plezierige manier dizzy begint te worden, maar ze moet toch een beetje oppassen. Op de dranktafel staan alleen lege flessen mineraalwater, ziet ze, en met haar glas in haar hand loopt ze de gang door, de keuken in.

Lisa staat met haar rug naar haar toe te praten tegen Marja en Heleen. Ze vangt woorden op. Schande... iemand doodrijden... alsof er niks aan de hand is naar een feestje...

Gealarmeerd door de uitdrukking op de gezichten van haar vriendinnen draait Lisa zich om.

Waarna ze met opengesperde ogen naar Anna's hand staart, waar bloed en wijn zich tussen haar vingers vermengen.

Een glasscherf steekt in de muis van haar hand.

'Er was een glas gebroken. Ik greep erin toen ik iets van het aanrecht pakte,' zegt ze tegen Jaap, als ze met een zwachtel om haar hand op de rand van het bed zit.

Hij heeft haar geholpen met uitkleden. Van zijn erotische gevoelens aan het begin van de avond is niets over.

'Stom,' vindt hij. 'Zal ik pijnstillers voor je halen?'

Ze zegt dat het niet nodig is.

Hoe zou hij het vinden als ze hem vertelde dat ze het glas in haar hand stuk heeft geknepen?

Iemand doodrijden en dan naar een feestje gaan alsof er niks aan de hand is.

Het is een rake omschrijving van hoe ze het zelf voelt, maar dat andere mensen er net zo over denken is schokkend.

Ze vraagt zich af wat er van haar verwacht wordt.

Thuisblijven. Nooit meer lachen. Geen feestjes bezoeken.

Ze kan in het zwart gaan lopen, as op haar onge-
kamde haren, ze vindt het allemaal best. Geen oordeel kan harder zijn dan dat van haarzelf. Geen straf
zwaarder dan die ze zelf vindt dat ze verdient.

Wat dat betreft verheugt ze zich bijna op het vonnis
van de rechter. Kom maar op, hier staat een schuldige,
iemand die het niet verdient ooit nog een dag gelukkig te zijn.

6

Sinterklaas moet nog komen en de eerste kerstversieringen duiken al op in de etalages. Anne heeft nooit veel op gehad met deze tijd van het jaar, waarin twee feesten die voornamelijk gericht zijn op geld uitgeven in elkaar verstrikt raken.

Maar de kinderen zijn er gek op.

Andere jaren hangt er tijdens deze weken een geheimzinnige spanning in huis. Kamers zijn op slot, kasten met dreigende teksten tot verboden gebied verklaard. De avond zelf een chaos. Uit grote pakketten komen enorme hoeveelheden houtwol en piepschuim, waartussen zich iets kleverigs bevindt dat uiteindelijk een verwijzing blijkt te bevatten naar de nog veel viezere inhoud van een minstens zo groot pakket. Gruwend graait Anne in de troep, terwijl de kinderen schaterend toekijken. In hun gedichten zeggen ze op wankel rijm harde waarheden, zodat Anne soms niet weet of ze moet lachen of huilen.

Werkelijk geen familiefeest kan met deze avond wedijveren.

Maar dit jaar weet Anne één ding zeker: ze is niet tegen een sinterklaasavond bestand.

Ze verzamelt moed en kaart het onderwerp op zondagochtend aan.

De enige ochtend in de week dat er rustig met elkaar wordt ontbeten.

'Had ik wel gedacht,' is Caspers commentaar. 'We kunnen het ook eigenlijk niet maken, mam. Wij hier lol trappen...' Hij maakt zijn zin niet af. Het doet haar goed dat ze niet de enige is die het zo ziet. Jolien haalt haar schouders op, zonder van haar bord op te kijken. Ze is nog steeds aan haar eerste boterham bezig. Een warm ciabattabroodje uit de oven, waar ze altijd dol op was, heeft ze afgewezen met een gezicht alsof haar iets buitengewoon onsmakelijks werd aangeboden.

Anne probeert al weken in de gaten te houden wat haar dochter nu eigenlijk eet, maar op de een of andere manier is dan ineens het bord leeg, zodat ze moeilijk een opmerking kan maken.

'Menen jullie dat echt? We doen niets aan sinterklaas dit jaar?' Jaap kijkt van de een naar de ander.

'Dat begrijp jij toch ook wel,' zegt Anne.

Hij kijkt haar even aan, maar doet er tot haar opluchting het zwijgen toe.

'Ik ga straks naar Roel, mijn nieuwe rap oefenen,' zegt Casper.

Het onderwerp Sinterklaas is wat hem betreft van de baan. Ze had niet gerekend op zo'n snel succes.

'Waar gaat-ie over?' vraagt Jaap.

'Mijn rap? Over de graaiers in het bedrijfsleven. Je toko naar de klote helpen en zelf vet innen.'

Hij zegt het alsof het de gewoonste zaak van de wereld is, maar zijn ogen staan op onzeker als hij naar zijn vader kijkt. Die niet merkt hoe zijn zoon hunkert naar een blik van belangstelling.

'Graaiers... jezus jongen, maatschappijkritische teksten... heb je je huiswerk eigenlijk al af?'

Het is dodelijk.

Casper schuift zijn stoel met zo'n ruk achteruit dat die omvalt, en loopt met grote stappen de keuken uit.

Hij zit op de rand van zijn bed andere schoenen aan te trekken.

Zijn gebogen hoofd, de nek weerloos door het hoog opgeknipte haar, ontroert haar.

Hij vraagt niet wat ze komt doen, en dat is goed, want eerlijk gezegd weet ze het zelf ook niet.

'Je hebt een gat in je sok,' zegt ze terwijl ze naast hem komt zitten, en hij wiebelt door het gat met zijn grote teen, waarvan de nagel niet al te schoon is.

Haar eerste kind!

Hij lag, nog maar net geboren, in zijn wiegje naast haar bed kleine krielkipgeluidjes te maken, waar ze de hele nacht naar luisterde met zo'n overweldigend gevoel van liefde dat ze er bijna in dreigde te verdrinken. Zo'n gevoel verdwijnt nooit helemaal. Het komt boven als iemand je kind iets aandoet, al is het met woorden, al is het de vader.

Hij trekt zijn All-Stars aan, de veters zo los dat de schoen wijd openstaat. Ze weerstaat de neiging 'pas op dat je niet valt' te zeggen. Nog even en hij is langer dan Jaap, denkt ze als ze naast elkaar staan.

'Ik wil je rap graag een keer horen.'
'Reken maar!'

Geen sinterklaasfeest dus, hun huis een oase van rust, terwijl de goedheiligmannen elkaar verdringen in de nieuwbouwwijken, waar geen cadeautjc wordt weggegeven zonder een vermaning vooraf.

Het hoogtepunt van hun sinterklaasavond is het aanbellen van een gezelschap van een sint met drie pieten, die het adres waar ze verwacht worden niet kunnen vinden.

Anne probeert toch iets bijzonders van de avond te maken. Ze heeft gevulde speculaas gekocht, een banketstaaf en voor ieder een varkentje van marsepein, dat Jolien meteen van zich af schuift terwijl Casper er zonder ernaar te kijken de kop vanaf bijt.

'Zullen we een spelletje doen?'

Ze kijken haar aan alsof ze hun oren niet geloven.

'Dat deden we toch vroeger ook weleens?'

Casper slaat een arm om haar heen. 'Lief bedoeld, hoor mam!'

Ze voelt zich klammig worden. De avond kan toch niet om tien voor negen al mislukt zijn?

Maar Jaap heeft zijn eigen maatregelen genomen om er een succes van te maken. Hij komt triomfantelijk met een dvd aanzetten.

'Gaaf!' zegt Casper enthousiast. 'Die wilde ik zo graag zien!'

'Wist ik,' zegt Jaap. 'Het was de laatste. Dat ding loopt als een trein zeiden ze in de winkel.'

Hij wil het goedmaken, denkt Anne vertederd.

Ook al probeert ze hem zoveel mogelijk af te weren – het gevoel dat ze plezier zou kunnen beleven aan haar lichaam maakt haar op voorhand al misselijk van schuldgevoel –, het ontgaat haar niet dat hij aandoenlijk zijn best doet iets van zijn rol in het gezin te maken.

De titel van de film zegt haar niet veel. *United 93.* Iets over een vliegtuig – niet een film die ze zelf zou hebben gekozen, maar zolang ze bij elkaar zitten vindt ze alles best.

Het duurt even voordat ze begrijpt waarnaar ze zit te kijken.

11 september. De Twin Towers. Het enige van de vier gekaapte vliegtuigen waarin de passagiers de strijd aanbinden met de kapers.

De crash op een grasveld in Pennsylvania.

Halverwege de film loopt Jolien huilend de kamer uit.

'Wat heeft ze ineens?' vraagt Jaap verbaasd.

En dan is het alweer bijna Kerstmis. Dat is minder erg dan ze vreesde, want Kerstmis bestaat uit rituelen, en een ritueel is niet veel méér dan op de automatische piloot de handelingen verrichten die van je verwacht worden.

Het ritueel van de boom, het versieren, inkopen doen, kaarsen branden, koekjes in de oven, een stuk wild in de Creuset-braadpan, kaarten schrijven en de ontvangen kaarten op een rood lint prikken dat aan de muur naast de open haard aan een spijkertje hangt. Al die kerstengelen, herdertjes bij nachte, klokken, kerstbomen en kandelaars met dezelfde wensen eronder: hoe meer er hangen, hoe populairder je lijkt, dus is het zaak er zoveel mogelijk te versturen.

Zo houd je elkaar aan de gang.

Voor Kerstmis heb je geen gevoel nodig, en dat komt verdomd goed uit. Ze hoeft alleen maar checklijstjes te maken zodat ze niet per ongeluk iets overslaat wat belangrijk is, en er kan niets misgaan.

Ze vraagt zich af wat zij besloten heeft in dat andere huis, de moeder met die meedogenloos lege plek in haar leven.

Wel een boom, geen boom, waarschijnlijk kan het haar niet schelen.

Jaap gaat met Casper naar de kerstbomenmarkt.

Vorige jaren ging Jolien mee, maar die voelt zich niet lekker, zegt ze, zit opgerold op de bank met een *Yes* in haar handen. In elk geval blijft ze beneden, dat mag in de krant, de laatste tijd lijkt het alsof ze een kostganger is die alleen met de maaltijden verschijnt en het er niet op heeft als de relatie persoonlijk wordt.

'Wil je iets lekkers? Ik heb gevulde kerstkransjes. Met gekleurde pikkels erop.'

Tot haar verbazing neemt Jolien er eentje, zonder van het tijdschrift op te kijken, maar het is in elk geval een vorm van contact.

De mannen komen druipend van de regen terug met een boom die ze zelf nooit gekozen zou hebben vanwege de onmogelijke vorm. Kennelijk hebben ze er geen seconde aan gedacht dat zo'n boom ook versierd moet worden, maar ze zijn er zo trots op dat ze hen en de boom in één moeite door de hemel in prijst.

De rest van de dag wringt ze zich iedere keer als ze in de gang moet zijn langs het kletsnatte ding, dat kleeft maar verrukkelijk geurt.

Hij moet aan de huistemperatuur wennen, morgen zullen ze hem versieren. Jaap haalt de dozen met lichtjes en versiersels van zolder.

Er is duidelijk geen ontkomen aan.

Kerstmis is een spookrijder die ze op de eenbaansweg waarop ze rijdt niet ontwijken kan.

'Het spijt me, maar je vader komt toch maar liever niet,' zegt haar moeder vanuit Spanje. 'Ik zou wel willen, maar hij ziet te veel op tegen het eind rijden, vooral omdat het maar voor een weekje zou zijn.'

Eerlijk gezegd heeft Anne geen seconde gedacht dat de plannen door zouden gaan. Tot nu toe heeft haar vader iedere afspraak om naar Nederland te komen op het laatste moment getorpedeerd. Hij heeft er gewoon geen zin in. Af en toe belt hij op in een oprisping van vaderlijke gevoelens, waarna hij het weer tijdenlang voor gezien houdt.

Dieren gaan ook zo met hun jongen om. Als die klaar zijn om de wereld in te gaan, is het einde oefening. Geen vogeljong gaat op bezoek in het ouderlijk nest. Geen moedervogel logeert een weekje bij haar kind om de eitjes te zien uitkomen.

Ze mist hem trouwens niet echt. Haar moeder wel.

Ze zou er wat voor geven om af en toe met haar te kunnen praten, gewoon tegenover elkaar aan tafel, een pot thee tussen hen in. Een vertoon van Hollandse kneuterigheid, maar het zou haar goed doen.

Ze weet dat haar moeder in één oogopslag de verkoeling tussen Jaap en haar zou opmerken. Om er vervolgens uitgebreid over te praten.

'Begrijp ik het goed, schat, dat die man geen seks meer krijgt omdat jij iemand hebt aangereden? Leg dat nou eens uit, want eerlijk gezegd begrijp ik er niets van.'

'Ik ook niet, mam,' zou ze antwoorden.

Wat een leugen zou zijn. Want ze weet het verdomd goed.

Sinds het ongeluk mag ze van zichzelf niets meer wat leuk is of prettig. Omdat ze het niet verdient. Zo simpel ligt het. Wie een ander mens in het ongeluk stort kan geen aanspraak meer maken op geluk.

Maar leg dat maar eens uit.

Atie belt om zeven uur 's avonds. Anne heeft net koffie ingeschonken.

Het is drie dagen voor Kerstmis; in de hoek van de kamer begint de boom zijn eerste naalden al te verliezen, maar dat komt doordat de thermostaat te hoog staat.

Hoe de anderen ook klagen over de hitte, Jaap trekt demonstratief zijn jasje uit zodra hij het huis binnenkomt, Anne blijft het koud hebben.

En nu kiest zelfs de kerstboom partij voor haar huisgenoten.

Ze loopt met de telefoon naar de radiator onder het raam, en leunt er met haar knieën tegenaan.

Het is donker buiten, ze ziet de weerspiegeling van de lampen in de kamer en haar eigen gezicht ertussen. Jaap is onzichtbaar, die zit laag in de clubfauteuil die hij in zijn studentenkamer al had, en die hopeloos misstaat bij de rest van de inrichting.

Max heeft de aanvangstijd van de vergadering morgenochtend een uur naar voren geschoven, zegt Atie. Iedereen heeft er een memo over gekregen van hem, behalve Anne. Atie is er stomtoevallig achter gekomen.

'Als dat geen gore rotstreek is!' zegt ze. 'Zoals die lul aan de poten van jouw stoel zit te zagen. Dat je daar niet doodzenuwachtig van wordt!'

'Zolang jij voor mij op zit te letten, valt het wel mee,' zegt Anne om Atie een plezier te doen.

Natuurlijk weet ze waar Max mee bezig is, en ze twijfelt er niet aan dat het hem uiteindelijk zal lukken ook.

'Negen uur? Ik zal er zijn!'

En ze is er. Ruimschoots op tijd zelfs, want op het traject tussen haar huis en de zaak kun je kiezen tussen te vroeg of te laat komen, de optie precies op tijd zijn is niet aan de orde.

Ze parkeert haar auto op het moment dat de parkeerplaats meer lege dan bezette plaatsen heeft, zodat ze kan kiezen voor een plek dicht bij de ingang.

Het weer is omgeslagen, een gure wind waait haar haren alle kanten uit en striemt haar gezicht alsof het met schuurpapier bewerkt wordt.

Ze heeft behoorlijk wat tijd nodig om zich een beetje toonbaar te maken, maar als Max de vergaderruimte binnenkomt zit ze met koffie en dossiers aan het hoofd van de tafel.

Hij verstart in de deuropening.

'Hoi Max,' zegt Anne opgewekt, 'wat fijn dat jij er ook bij kunt zijn.'

Het is een kleine overwinning op een slagveld waar ze de verliezende partij is.

Aan kleine dingen merkt ze dat Hiemstra in haar teleurgesteld is.

Ze is niet de *bright young woman* die hij heeft aangenomen en in wie hij zoveel zag. Ze weet het, maar ze kan het niet veranderen. Niet op korte termijn in elk geval. En op meer tijd hoeft ze niet te rekenen met de hete adem van Max in haar nek.

Ze vreest dat er nog meer dingen gaan gebeuren die Hiemstra tegen zullen vallen. Ze zal vrij moeten nemen voor gesprekken met haar advocaat, voor de rechtszitting, voor god weet wat nog meer.

Zijn hoofd Human Resources zit tot haar nek in de problemen, en alsof dat niet genoeg is zit ze nu ook nog een boodschappenlijstje te maken in zijn tijd.

Hij moest eens weten, denkt ze, terwijl ze de recepten die ze uit glossy's heeft gescheurd, naast haar computer uitstalt.

Keuze genoeg, dat is het probleem niet, maar hoe moet ze een menu samenstellen dat ze allemaal lekker vinden?

Jolien hangt de laatste tijd tegen vegetarisme aan. Zodra een stuk vlees op haar bord herleidbaar is tot een aaibaar dier, begint ze te kokhalzen. Casper zou het liefst junkfood op zijn bord krijgen. Zo'n lauwe hotdog die slap in je hand hangt als een teleurgestelde penis, met een kartonnen puntzak friet erbij. En dan de grootste maat bananenmilkshake en als toetje een sundae caramel. Ze kan zijn lievelingsmenu dromen, en dat niet alleen, uit solidariteit heeft ze het een paar keer met hem gegeten. Wat haar verbaasde waren de emoties die dat soort eten bij haar opriep. Schaamte omdat het op een bepaalde manier wel lekker was, en weerzin van haar lichaam dat voelde alsof het op springen stond.

En dan Jaap, die alles wel best vindt.

Het soort makkelijk dat verschrikkelijk moeilijk is, omdat je er niet op kunt rekenen. Negen van de tien keer heeft ze het gevoel dat hij liever iets anders op zijn bord had gewild dan wat zij hem voorzet. Alhoewel hij er nooit een opmerking over maakt, dat moet ze hem nageven.

En zijzelf? Waar zou ze zichzelf het meeste plezier mee doen?

Ze ziet een snoezig Rozenburg plateelschoteltje voor zich, met in het midden, daar waar een theekopje zou moeten staan, een kingsize slaappil met een garantie om voor twee dagen van de wereld te zijn.

Flauw! spreekt ze zichzelf bestraffend toe.

Ze wil gevulde gans eten, niet echt een sympathiek dier, dus Jolien heeft ze mee, maar wat kun je het beste in zo'n dier proppen?

Ze googlet een aanvaardbare oplossing, iets met gehakt, appels en tamme kastanjes, en maakt een aantekening dat ze de poelier moet bellen.

Ze wil ook wat bakken. Dat heeft ze van thuis meegekregen: met Kerst maak je zelf dingen, al zijn het maar onnozele koekjes, of een kerststol.

Misschien vindt Jolien het wel leuk om mee te helpen, denkt ze hoopvol.

Ze slaagt erin om een dag voor Kerstmis tijdens haar lunchtijd haar boodschappenlijstjes af te werken, een niet geringe prestatie want het halve werkendevrouwenbestand van Nederland is op dezelfde gedachte gekomen.

Ze racet met haar winkelwagentje tussen de schappen door.

Het is zo'n rotding met wieltjes die een eigen leven leiden en een uitgesproken voorkeur hebben voor frontale botsingen met andere wagentjes. Ze verontschuldigt zich een paar keer, maar daarna laat ze het erbij zitten. Het is ieder voor zich, en mocht er al sprake zijn van in de mensen een welbehagen, dan gaat dat zeker niet voor winkelsluitingstijd in.

Als ze na twintig minuten wachten in de rij voor de kassa aan de beurt is, realiseert ze zich dat ze een pak bloem is vergeten. En de suiker is ook bijna op, schiet haar te binnen.

'Kan ik nog even iets pakken?' vraagt ze hoopvol.

'Natuurlijk,' zegt de caissière met een opgewekte pissigheid die haar hoop meteen de bodem in slaat, 'maar dan wel graag achter aansluiten.'

Anna mompelt een verwensing, terwijl ze de caissière recht aankijkt, iets waarvoor moed vereist is want die kijkt terug alsof ze al de hele dag wacht op de kans een klant te wurgen.

Ze smijt haar inkopen in de achterbak van haar auto, laat het karretje midden op de parkeerplaats staan, wat onbeschoft is, maar wie weet is er wel iemand die een halve euro de moeite waard vindt en ermee wil zeulen, en ze maakt een mentale aantekening dat ze, wat er ook gebeurt, vandaag nog ergens bloem en suiker vandaan moet halen.

Als ze door de gang rent op weg naar haar kantoor, ziet ze nog net de rug van Max om de hoek verdwijnen.

'Of je hem meteen belt, het is dringend,' zegt Atie, terwijl ze verwijtend op haar horloge kijkt.

Alles verloopt volgens plan.

Het huis geurt naar de appeltaart die nu langzamerhand uit de oven gehaald moet worden, haar man en kinderen zitten om haar heen aan tafel en er is nog geen onvertogen woord gevallen.

Casper vraagt zelfs of Jolien hem de boter aan wil geven, zonder er half over de tafel geleund naar te graaien.

Dit zijn toch allemaal dingen die tot tevredenheid moeten stemmen.

Ze is vroeger opgestaan dan de anderen. Jaap heeft niet eens gemerkt dat ze het bed uit stapte nadat ze een paar minuten aandachtig naar zijn verfrommelde gezicht op het kussen heeft liggen kijken.

In het schemerlicht lijkt hij ouder dan hij is. Het heeft iets dierbaars, dat hij zo ongegeneerd van middelbare leeftijd ligt te wezen als hij slaapt.

Ze vraagt zich af hoe zij er zelf uitziet met haar ogen dicht.

En of hij ooit naar haar ligt te kijken, zoals zij nu naar hem. Op een elleboog geleund, half vertederd, half geïrriteerd.

Ouder worden is een rotstreek, hoe je het ook wendt of keert.

Het is een vorm van bedrog. Je denkt dat je de eeuwige jeugd hebt als je jong bent. Je voelt minachting voor mensen die ouder zijn dan jijzelf, ongeacht hun capaciteiten.

Niets kan belangrijker zijn dan de huid van je gezicht, de strakheid van je lichaam, het zijn de zekerheden die je door alle onzekerheden heen helpen die je teisteren als je jong bent.

Ze is een keer verliefd geweest op een oudere man, getrouwd met een vrouw van zijn leeftijd, een oud lijk dus. Ze herinnert zich nog haar verbazing toen de man niet op haar avances inging. Als je kunt kiezen voor jong, dan laat je oud toch schieten!

En nu is het Jaap en haarzelf overkomen, maar eerlijk gezegd is het een stuk minder erg dan ze had gevreesd. Ze denkt er nauwelijks over na, er zijn te veel zaken van groter belang die haar aandacht opeisen.

Bovendien kun je op je gezicht smeren wat je wilt, je

kunt je laten botoxen tot je een ons weegt, het hoogste wat je kunt bereiken is dat mensen aan 'Wat ziet ze er goed uit' het zinnetje 'voor haar leeftijd' plakken.

Ze heeft de thermostaat van de verwarming hoger gezet, en het deeg dat ze gisteren in huishoudfolie verpakt in de koelkast heeft gelegd, met haar knokkels in de taartvorm geduwd.

Toen ze er de schijfjes appel op legde en van het restant deeg een ruitvormige afdekking had gemaakt, was de oven op temperatuur.

Ze schoof de taart erin en hoorde zichzelf tevreden 'Zó!' zeggen.

Glimlachend dekte ze de tafel.

Als de anderen beneden komen is alles klaar, thee op het lichtje, gesneden kerststol op de zilveren broodschaal van Jaaps ouders.

De kerstboomlichtjes weerspiegelen in het zilver en diepe rood van de versierselen.

Ze kijkt naar haar zoon, die met zijn vingers de spijs uit een plak kerststol vist voordat hij het ontstane gat opvult met een dikke laag roomboter.

Hij zit zo verlekkerd te eten dat ze een opmerking inslikt.

Jolien zegt niet veel, maar ze blijft aan tafel zitten, terwijl ze anders een excuus verzint om naar boven te kunnen, wanneer ze klaar is met die ene boterham waaraan ze de laatste tijd kennelijk genoeg heeft.

Het betekent trouwens niet meer dan een tijdelijke opleving, nu de druk van school even is weggevallen. Daarover maakt Anne zich geen enkele illusie.

De tegenzin waarmee Jolien haar schooldagen begint lijkt dagelijks groter te worden, maar nog steeds is praten daarover niet mogelijk. Anne zou weleens willen weten hoe andere ouders dat aanpakken. Een kind dat duidelijk een probleem heeft maar weigert er met ook maar één woord over te spreken. Ze weet zeker dat zoiets in andere gezinnen wél opgelost wordt.

Jaap wil zich er niet mee bemoeien.

'Praat jij nou eens met haar,' heeft ze gezegd, maar hij heeft daar heel duidelijke ideeën over.

'Op deze leeftijd zijn het altijd vrouwendingen waarmee meisjes zitten. Daar ga ik me als vader niet mee bemoeien. Ze ziet me aankomen!'

Hij meent het, maar er zit ook een element van gemakzucht in die uitspraak. Voor het goede gesprek is hij niet in de wieg gelegd vindt hijzelf, en dat is voldoende reden voor hem om alles wat moeilijk is en toch besproken moet worden, aan haar over te laten.

Ze heeft zelfs Cas moeten voorlichten, en zo moeilijk kan het voor een vader toch niet zijn om een uit het leven gegrepen verhaal te houden over erecties en natte dromen.

Je zult zien dat zij het straks is die met condooms staat te zwaaien.

Maar van alle frustraties is de grootste dat ze niet in staat is haar dochter, die het duidelijk moeilijk heeft, te helpen.

Na het ontbijt, nadat ze allemaal tot haar verbazing ongevraagd iets naar de keuken hebben gebracht, gaan ze hun eigen dingen doen, maar wel allemaal in de zitkamer als bewijs van het feit dat dit niet zomaar een zondag is.

Jolien op de bank, haar benen opgetrokken onder zich, terwijl ze de cd speelt die ze jaren geleden met sinterklaas heeft gekregen, en die ze met Kerst altijd tevoorschijn haalt. '*Last Christmas*', keer op keer door die ongelofelijk weeë mannenstem gezongen, Anne kan de tekst dromen. '...*I gave you my heart but the very next day you gave it away*...' Het is een melodie en een tekst die aan je vastkleven als klittenband, ze betrapt zich erop dat ze het neuriet als ze staat te koken of in de auto zit op weg naar haar werk. Het duurt weken voordat ze er helemaal los van zal zijn.

Casper moppert omdat niemand zin heeft naar zijn cd van Ali B te luisteren, maar hij maakt er geen heibel om. Als het erop aankomt is hij een redelijke jongen. Het valt Anne steeds vaker op hoe hij door te zwijgen of juist iets afleidends te zeggen het wankele evenwicht in het gezin in stand weet te houden.

En Jaap gaat maar heel even, niet langer dan een uurtje, naar kantoor waar nog iets gedaan moest worden, en is vervolgens in *De geschiedenis van Woutertje Pieterse* gedoken, dat hij beschouwt als een kerkdienst met een leuke dominee, en waaruit hij af en toe hardop stukjes voorleest, met stemverheffing om boven George Michael uit te komen.

Zelf rommelt Anne maar zo'n beetje aan. Leest in

de bijlagen van de NRC en *de Volkskrant*, die samen een moedeloos makende berg krantenpapier vormen, en houdt het eten in de keuken in de gaten.

Kortom, voor een gezinskerstmis loopt het niet slecht, en toch wordt het gevoel van vage onrust dat Anne heeft bevangen vanaf het moment dat ze op Eerste Kerstdag wakker werd van beierende kerkklokken, met het uur groter.

Het gevoel doet haar denken aan die enge film *Alien*, die ze jaren geleden samen met Jaap heeft gezien.

Astronauten die in bezit worden genomen door een wezen dat in hun lichaam groeit en uitdijt, totdat ze uit elkaar barsten en het onuitsprekelijke in een orgie van bloed en slijm tevoorschijn komt.

Ze slaagt er lang in dat gevoel waarin ze bijna stikt, te bedwingen. Maar op Tweede Kerstdag, het is buiten al donker en achter de vensters van de huizen aan de overkant schitteren kerstboomlichtjes en de bedachtzame vlammen van kaarsen, houdt ze het niet langer vol.

'Even een luchtje scheppen,' zegt ze in het algemeen.

Er wordt geen enkele aandacht aan besteed, Jaap is nog steeds verdiept in Multatuli, Casper luistert met een koptelefoon op naar zijn eigen muziek en Jolien zit een beetje dromerig op de bank voor zich uit te staren terwijl The Carpenters de kamer vullen met hun softe kerstliedjes.

Ze loopt de straat op, haar jas nog open.

Het voelt goed, die bijtende kou tegen haar naakte hals, de wind door haar haren, het heeft iets zuiverends.

In de meeste huiskamers waar ze langskomt staan kerstbomen. Sommige gezinnen zitten al rond de versierde tafel, het is allemaal van een onwaarschijnlijke huiselijkheid.

Ze aarzelt voordat ze de straat in loopt waar Kirsten woonde.

Wat zullen mensen van haar denken als ze haar hier zien?

Maar er is niemand buiten op deze tijd van de avond, en ze vertraagt haar stap als ze het huis nadert.

De gordijnen zijn halfgesloten, ziet ze vanaf de overkant van de straat.

Er is een kerstboom, dus toch! Hij is niet versierd, elektrische kaarsjes geven sober licht. Het is duidelijk een handreiking naar de overgebleven dochter, tenminste, zo stelt Anne het zich voor.

Een paar schemerlampen met crèmekleurige kappen verspreiden een zacht licht. Op een laag kastje dat tegen de muur staat branden kaarsen in een vijfarmige kandelaar.

Ze zitten aan tafel.

Paula en Dick Kooyman ieder aan het hoofd. Tussen hen in, aan de lange kant van de tafel, het zusje Nadine.

De afwezigheid van Kirsten is niet weg te denken, ook niet voor Anne aan de overkant van de straat, die haar ogen niet van het tafereel af kan wenden.

De lege plek aan tafel maakt de dochter die er niet meer is reëler dan ze in werkelijkheid had kunnen zijn.

De vader gaat staan en buigt zich over een schaal.

De moeder en de dochter kijken toe.

Het schokt Anne tot in haar ziel dat er gegeten wordt in dit huis.

Het is een te platvloerse bezigheid als je zoiets verschrikkelijks is overkomen.

Maar terwijl de koude in haar gezicht bijt, realiseert ze zich dat het leven van de mensen in het huis alleen nog maar bestaat uit bezigheden die er totaal niet meer toe doen. Uitgevoerd omdat het er nou eenmaal bij hoort. Slapen, opstaan, je aankleden, eten, de deur uit gaan.

Wat moet je anders?

Achter haar gaat een huisdeur open, het geblaf van een hond, een stem die 'Wacht even, ik ga mee!' roept.

Ze loopt snel verder.

De hele weg naar huis kijkt ze niet één woonkamer meer binnen.

Tussen Kerst en Oud en Nieuw ligt de brief van justitie op de deurmat.

Geleund tegen de gangmuur, haar benen lijken van rubber, glijden haar ogen over regels waarvan woorden en stukken zin zich in haar hoofd vasthechten.

Dagvaarding... verdachte... lichamelijk letsel de dood ten gevolge hebbend. De zin 'roekeloos, in elk geval zeer, althans aanmerkelijk, onvoorzichtig en/of onoplettend rijgedrag' springt eruit.

Hoe krijg je het voor elkaar om iets wat zo duidelijk is, zo ingewikkeld te formuleren?

Ze loopt naar de keuken, een barre tocht van nog geen vijf meter die ze met moeite volbrengt, waarna ze gaat zitten met in haar hand nog steeds de twee pagina's die het verhaal vertellen van een herfstavond toen de zon net was ondergegaan, en dicht bij haar huis een meisje met wuivend blond haar dat als een vallende engel haar dood tegemoet vloog.

7

Anton Dijkstra is iets jonger dan Jaap, of in elk geval is zijn uitstraling jeugdiger.

Hij komt haar zelf halen uit de wachtkamer waarin ze zit te staren naar een rek met brochures die mensen informeren over de juridische kanten van menselijke tragiek.

Zo'n zelfde rek heeft ze ook bij hun notaris zien hangen. De boodschap is kennelijk dat wat je ook doet in je leven, en hoe prettig het ook lijkt, je niet moet denken dat het geluk altijd op je hand zal zijn.

Hij stelt zich voor en wenst haar in dezelfde zin een gelukkig Nieuwjaar, alsof ze daar récht op heeft.

Een lok van zijn sluike haar glijdt over zijn voorhoofd en hij schudt het terug.

Ze maakt haar hand los uit de zijne.

Oud en Nieuw, vijf dagen geleden, lijkt in een ver verleden te liggen. Als ze er moeite voor doet zou ze zich ongetwijfeld herinneren dat ze tegen elven in bed lag en dat Jaap met de kinderen televisie heeft gekeken en om twaalf uur met ze de straat op is gegaan om naar het vuurwerk te kijken.

Toen hij zich uren later, naar drank ruikend, over

haar heen boog om haar een gelukkig Nieuwjaar te wensen, was ze op slag zo klaarwakker dat ze de resterende nacht met wijdopen ogen doorbracht, terwijl ze de walm van de man die luidruchtig ademend naast haar sliep, haatte met een intensiteit die haar verbaasde.

Ze lopen langs Anton Dijkstra's telefonerende secretaresse, jong, sluik zwart haar, lange over elkaar geslagen benen, naar zijn kamer, waarvan de wanden bedekt zijn met in donker hout uitgevoerde kasten waarin de plechtige ruggen van boeken de indruk wekken per meter gekocht te zijn. Ze gaat zitten in een met donkergroen leer beklede stoel bij zijn bureau.

'Hou je hoofd er nou een beetje bij!' heeft Jaap gezegd. 'Het is een verdomd belangrijk gesprek, Anne. Hoe meer Anton weet van de zaak, hoe beter hij je kan helpen.'

Het is duidelijk: de dode Kirsten is een zaak geworden die zo goed mogelijk moet worden afgehandeld. Emoties zijn uit den boze. Belangrijk is dat de dader, zijzelf dus, er met een zo licht mogelijke straf af komt. Daarvoor zit ze hier tegenover een man die haar daarbij moet helpen. En die al heel wat voorwerk heeft verricht.

Uit een dikke map die voor hem op het vloeiblad ligt, haalt hij een stapel aan elkaar geniete papieren die hij haar over het bureaublad heen overhandigt.

'Het procesverbaal en de verkeersongevallenanalyse. Er zitten schokkende beelden bij, maar het lijkt me toch zinvol als je het leest. Er kunnen dingen in staan waarop jijzelf een andere visie hebt.'

Ze slaat het dossier lukraak open.

Grauwe zwart-witfoto's, slecht afgedrukt. Ze herkent haar auto, de fiets van Kirsten nog net niet in de berm, de sporttas scheefgezakt onder de snelbinders. En Kirsten zelf, door de slechte kwaliteit van de fotokopie nauwelijks herkenbaar, haar hoofd rustend tegen de voet van de middelste eik.

Ze doet het dossier dicht.

'Je kunt het ook thuis lezen, dat is misschien rustiger.'

Hij heeft een donkerblauw colbert aan met een dunne coltrui eronder in dezelfde kleur, en sinds ze tegenover hem zit heeft hij minstens vijf keer de haarlok naar achteren geschud met een gebaar dat ooit als behaagziek is begonnen en nu tot gewoonte is geworden.

'Ik hoef het niet te lezen,' zegt ze. 'Ik was erbij.'

Hij kijkt naar haar terwijl hij op zijn onderlip kauwt.

In de verte klinkt de sirene van een politieauto, na een paar seconden gevolgd door een tweede. Het zijn lugubere geluiden, alsof afgesproken is dat alles mee moet werken om die avond te laten herleven.

'Het is traumatiserend om iemands dood op je geweten te hebben. Je bent helaas niet de enige wie dat overkomt. En misschien vind je zelf wel dat je de zwaarste straf verdient, maar geloof me, niemand wordt er beter van als jij afgeslacht wordt in de rechtszaal,' zegt Anton Dijkstra.

'Ik wil daarom een voorlichtingsrapport van de reclassering aanvragen. In jouw geval kan dat heel gunstig werken. Je bent zonder het te willen in deze situatie terechtgekomen en je gaat er erg onder gebukt. Dat zijn zaken die een rechter graag wil weten om tot een vonnis te komen. Ik hoef natuurlijk niet te zeggen hoe belangrijk het is dat je meewerkt.'

Ze kijkt naar zijn lippen die opgehouden zijn met bewegen.

'Natuurlijk,' zegt ze snel.

Diezelfde middag belt Dijkstra naar Jaap.

Onmiddellijk nadat Anne is thuisgekomen van haar werk, begint hij erover.

'Jezus Anne, ik heb toch gezegd dat het belangrijk is dat je meewerkt. Volgens Anton drong het nauwelijks tot je door wat hij tegen je zei. Besef je niet hoe fout je zit als je echt die mobiel aan je oor had toen je dat meisje aanreed! Anton moet alle zeilen bijzetten om er nog iets voor je uit te slepen. Hij wil aanvoeren dat je in shock was door de aanrijding en niet besefte wat je ondertekende.'

'Ik praatte met jou toen het gebeurde.'

'Dat gesprek was net afgelopen. Ze hebben de simkaart, maar het is niet op de seconde aan te tonen.'

'Jij hebt me horen schreeuwen, dat heb je me zelf verteld.'

'Dan was je mobiel nog niet uitgeschakeld, dat kan toch, dat doen mensen vaker, dat wil niet zeggen dat ze 'm nog tegen hun oor hebben. Begrijp je wat ik zeg,

Anne? In dat soort dingen liggen je kansen, maar dan moet je wel alert zijn. En zit daar niet zo... zo schlemielig! Als je zo voor de rechter gaat zitten hoef je niets meer te zeggen, je hele houding is één schuldbekentenis!'

'Ik bén tóch ook schuldig.'

Hij loopt de kamer uit en slaat de deur achter zich dicht.

Sinds ze de brief van justitie heeft ontvangen is er een zekere rust op haar neergedaald. Ze wist dat het zou gaan gebeuren en nu weet ze ook wanneer.

Ze bladert langs een heleboel lege agendabladen tot ze bij de datum aankomt. Haar pen aarzelt boven het papier. Hoe noteer je zoiets? Ze kan de plaatsnaam neerzetten waar het Paleis van Justitie is. 'Voorkomen' is ook een mogelijkheid. Of simpel 'rechter'.

Ze drukt de pen tegen de bladzijde en zet een kruis, niet een grafkruis, al had dat ook gekund, maar twee diagonale strepen die elkaar in het midden raken. De punten van de pen splijten bijna onder de kracht van haar hand, het veroorzaakt een krassend geluid, de strepen zijn omgeven door kleine spettertjes.

Het resultaat stemt haar tevreden.

Ze wacht tot de inkt droog is voordat ze haar agenda sluit.

'Waarom heb je niets verteld over de nieuwjaarsborrel bij Heleen en Jan-Willem? Ik sprak Gerrit vanmiddag, die had het erover.'

Jaap staat met een fles wijn in zijn ene hand en twee lege glazen tussen de vingers van zijn andere hand, zijn gezicht onbekommerd.

Het einde van een zaterdag, de kinderen boven bezig met huiswerk of god weet wat, een mooi moment voor een drankje voordat Anne de keuken in gaat.

'We zijn niet uitgenodigd.'

Hij trekt een frons.

'Mooie boel, ons gewoon vergeten uit te nodigen. Echt iets voor dat kleine warhoofd. Wat heb je voor ze gekocht, of doen we gezamenlijk iets...?'

'Ze willen ons er niet bij hebben.'

Hij begrijpt het nog steeds niet, ze ziet het aan zijn gezicht. Hij schenkt de glazen in en geeft haar er een.

'Wat bedoel je?'

'Precies wat ik zeg. We zijn niet welkom. Jij misschien wel, maar niet in mijn gezelschap.'

Marja heeft het haar verteld. Heleen vond het te moeilijk om het zelf te doen. Trouwens, het was eigenlijk onzin dat zo'n mededeling nodig was. Anne zou dat zelf ook kunnen bedenken, zei Marja met een licht verwijt in haar stem, alsof ze een aardig maar niet al te slim kind toesprak.

'Heleen heeft geen idee of Paula en Dick zullen komen, al zou het ze goed doen weer eens onder de mensen te zijn, maar dan moeten ze wel zeker weten dat ze jou niet tegen het lijf lopen. Zo simpel ligt het.'

De boodschap werd afgesloten met een licht schouderophalen.

Het verbaasde Anne niets.

Als er iets duidelijk is geworden de laatste maanden dan is het dat ze niet hoeft te rekenen op veel steun in de Vennenwijk.

Ze is het instrument van het noodlot geweest, en waarom zouden mensen warme gevoelens koesteren voor een instrument?

'Je begrijpt het toch wel?' drong Marja aan.

'Natuurlijk,' zei Anne, met een zuiver gevoel voor haar rol.

En nu moet het gesprek nog eens dunnetjes over met Jaap, die tegenover haar is gaan zitten en kijkt alsof de logica van wat Anne vertelt hem ontgaat.

'Maar hoe lang gaat dit dan door?' wil hij weten.

'Paula en Dick wonen hier in de buurt, we zullen elkaar altijd wel ergens tegenkomen.'

'Niet als het aan onze vrienden ligt.'

Weer die blik van volslagen onbegrip.

'Zo moeilijk is het toch niet, Jaap. Het zijn gewoon onze vrienden niet meer. Of eigenlijk zijn het nooit echte vrienden geweest, misschien is het makkelijker als je het zo ziet.'

Ze zet haar glas op tafel, iets te wild misschien, de robijnrode vloeistof schommelt gevaarlijk dicht langs de rand.

Ze heeft medelijden met Jaap, die nergens iets aan kan doen en toch in één moeite door gestraft wordt.

Schuld en boete, denkt ze. Maar ik zou de enige moeten zijn die ervoor betaalt. Nu sleep ik de mensen om mij heen mee, en ik heb geen idee wat ik moet doen om ze te beschermen.

Anton Dijkstra bedelft haar onder de officiële brieven.

Hij doet zijn best, en het is jammer dat het aan haar niet besteed is. Ze werpt er vluchtig een blik op en legt de papieren dan bij de andere op de groeiende stapel.

Jaap heeft laten doorschemeren dat hij ooit iets voor Anton in orde heeft gemaakt, dit is kennelijk een mannen-onder-elkaar-wederdienst. Elkaar helpen met gesloten beurzen.

Het zal wel een onderdeel van netwerken zijn, iets waaraan ze altijd een pesthekel heeft gehad. Je doet iets voor iemand omdat je vindt dat het moet gebeuren, niet om er iets voor terug te krijgen.

Met de rechtsbijstand is alles in orde, dat is al eerder geregeld. Verzekeringstechnisch hoeft ze zich nergens zorgen over te maken.

'Zo zie je dat het toch zin heeft goed verzekerd te zijn. Op die dingen moet je nooit bezuinigen,' heeft Jaap tevreden gezegd.

Ze heeft hem sprakeloos aangekeken.

Het klinkt godbetert alsof het een reuzemazzel is dat ze iemand heeft doodgereden, anders hadden ze toch mooi hun hele leven premie betaald zonder er een cent van terug te zien.

'Geweldig!' roept hij een andere keer, een brief van Anton Dijkstra in zijn handen. 'Hoe komt-ie op het idee! Je hebt die brief toch wel gelezen?'

'Nog niet,' zegt ze.

Zijn vrolijkheid verdwijnt op slag.

'Verdomme Anne, verdiep je er nou toch eens in. Die man doet zo z'n best voor jou. Hij heeft aan het KNMI de weersomstandigheden gevraagd op het moment van de aanrijding. Stel dat het mistig was geweest, dan was het met een sisser afgelopen. Dat is toch fantastisch! Hoe komt hij erop.'

'Het weer had ik 'm ook kunnen vertellen,' zegt Anne. 'Het was een heldere avond. Ik werd verblind door een tegenligger in de bocht van de weg, waarschijnlijk met mijn mobiel aan mijn oor. Dat heb ik Anton verteld. Meer valt er niet over te zeggen. Als ik was gestopt tot die tegenligger voorbij was, zou het niet zijn gebeurd.'

'Je kunt niet zo maar op elk willekeurig moment stil gaan staan op de weg.'

Ze ziet dat Jaap zich weer begint op te winden.

'Dus rijd je maar over iemand heen. Bedoel je dat?'

Deze keer is zij het die de kamer uit loopt.

Het kantoor van de reclassering zit in een hoog gebouw midden in een winkelcentrum. Gelukkig niet in haar eigen woonplaats, niemand die haar kent ziet haar naar binnen gaan.

'Ze gaan veel vragen,' heeft Dijkstra gezegd, 'en je hoeft niet zenuwachtig te zijn, het zijn aardige mensen.'

Maar ze is wel zenuwachtig.

Ze komt sinds het ongeluk in aanraking met een

wereld waarvan ze niet gedacht heeft er ooit iets mee te maken te krijgen. Een wereld met advocaten, de reclassering, de rechtbank en god weet misschien daarna de gevangenis.

Ze heeft geen hap kunnen eten, en honger overvalt haar in de vorm van een duizeling als ze zich meldt bij een loket.

Kogelvrij glas, denkt ze, al heeft ze geen idee hoe ze daarop komt, ze kan het nooit eerder hebben gezien.

Ze wordt vrij snel uit de wachtkamer gehaald door een jonge vrouw met opgestoken roodbruin haar en een zwart met rode bril, die haar meeneemt naar een kleine, sobere spreekkamer.

Ze zitten tegenover elkaar, dampende koffie tussen hen in.

Het is een vriendelijk gesprek, maar ondertussen wordt de ene persoonlijke vraag na de andere gesteld. Over haar opleiding, haar baan, haar huwelijk, de relatie met Jaap, de kinderen, haar gezondheid, zijn er schulden, leningen, zorgen, problemen, en dan natuurlijk het ongeluk.

Het lijkt iedere keer dat ze erover moet praten moeilijker om de woorden te vinden voor het moment dat ze de fiets van Kirsten raakte en haar in de duisternis zag verdwijnen.

Ze krijgt de zinnen niet in de goede volgorde, haar keel is droog en haar handen trillen zo als ze het koffiekopje naar haar mond probeert te brengen, dat ze het zonder te drinken terugzet.

Ze merkt dat de vrouw tegenover haar het ziet.

'En hoe gaat het sindsdien met u?'

De belangstelling in de ogen achter het zwart-rode montuur is oprecht.

Maar ze weet er geen antwoord op, en blijft zwijgend naar haar handen kijken die, ook plat op het tafelblad, niet tot rust zijn gekomen.

De sneeuwklokjes bloeien en dat is vroeg.

Ze plukt een handjevol en zet ze in het kleinste vaasje dat ze heeft.

Ze hebben zoiets onschuldigs, die witte kopjes tussen dat frisse groen. Ze heeft ook al het roze van wilde cyclaampjes in de achtertuin gezien.

Aan de vetbollen en de zakjes met pinda's die ze aan de laagste takken van de twee catalpa's in haar achtertuin heeft bevestigd, hangen de hele dag door driftig pikkende mussen en meesjes. Er zit een groenling tussen, in haar ogen gewoon een mees maar dan met een opvallend groene borst.

Af en toe doen de kauwen, die hun tijd verdelen tussen de grote boom op het kerkhof, de kerktoren en de tuinen van mensen die vogels voeren, een aanval op de vetbollen en de pinda's.

Ze hangen aan de netjes en scheuren eraan met grote scherpe klauwen. Ze zijn indrukwekkend van formaat, en hondsbrutaal.

Zodra ze tegen het raam slaat zijn ze in een vlucht van glanzend zwart verdwenen, waarna ze op boomtakken en de nok van het schuurtje wachten op een nieuwe kans.

Als ze het geluk hebben dat ze hun gang kunnen gaan, treft ze bij thuiskomst lege netjes aan, wapperend in de wind.

De meeste mensen haten de kauwtjes om de herrie die ze maken, want ze schreeuwen naar elkaar als pubers in een disco, maar eigenlijk heeft ze lol in die vogels die zich van niets en niemand iets aantrekken.

'Je staat altijd te glimlachen als je naar je tuin kijkt,' heeft Jaap weleens gezegd.

Ze gelooft het onmiddellijk.

De natuur is de laatste jaren in de media een serieus item geworden, iets om je zorgen over te maken, maar er gebeurt nog steeds genoeg om plezier aan te beleven.

Vandaag meent ze tussen het groene loof van de botanische tulpen al iets roods te zien schemeren.

De lente is niet ver weg meer.

En met de lente zal de dag komen die ze in haar agenda, omgeven met spetters, heeft aangekruist.

8

Midden in een vergadering wordt ze gebeld op haar mobiel, die ze vergeten is uit te zetten.

Met een kleur noemt ze haar naam en zegt in één adem dat ze zo snel mogelijk terug zal bellen.

'Graag,' zegt de stem aan de andere kant. 'U spreekt met Dick Vreeman, de mentor van Jolien, het is nogal dringend.'

Ze propt het mobieltje in haar tas. Wat in godsnaam kan er gebeurd zijn dat hij haar op haar werk belt?

Natuurlijk denkt ze meteen aan een ongeluk, wat onzin is want dan had hij zich heus niet laten afschepen.

Maar de gedachte laat zich niet verjagen. Waarom zou de dochter van iemand anders overreden worden en die van haarzelf niet?

Ze ziet Jolien roerloos liggen op het harde asfalt van een drukke straat, de steile blonde haren uitgespreid rondom een bebloed gezicht. Zo'n lul van een automobilist ernaast, die aan iets anders heeft zitten denken terwijl hij door een straat reed waar schoolkinderen fietsen.

Of zo'n jongen op een brommer, die stoer langs

een groepje meisjes scheurde en niet genoeg afstand hield.

Ze weet hoe Jolien met haar vriendinnen fietst. Zo'n pluk meiden, vier naast elkaar, terwijl de weg te smal is voor twee, en maar kletsen met elkaar. Giechelen in plaats van opletten, en dan die auto op het moment dat de buitenste zo moet lachen dat ze nog meer naar links zwenkt, niet meer te vermijden, niet aan te ontkomen, nog met die lach om haar mond gelanceerd van haar zadel. De mond van haar dochter. De blonde haren van haar dochter. Ze weet toch hoe makkelijk zoiets kan gebeuren. Hoe snel zoiets gaat.

Ze ziet de vragende blik van Hiemstra en Max op zich gericht.

Er is iets tegen haar gezegd en ze heeft geen idee wat.

Ze staat op, zegt dat ze even weg moet en is al onderweg naar de deur, de gang, de wc, waar ze zich vasthoudt aan de wasbak en naar dat vreemde, verwilderde gezicht in de spiegel kijkt.

Op weg naar haar bureau wuift ze Atie weg, die met een dossier in haar hand naar haar toe loopt, en stokstijf blijft staan als ze Annes gezicht ziet.

Ze laat zich op haar bureaustoel neervallen en belt de school, waarna ze eindeloos lijkende minuten wacht totdat de conciërge Dick Vreeman te pakken heeft.

Zijn rustige stem stelt haar niet gerust, mensen in functie zijn altijd rustig, dat hoort bij hun vak. Het zou een mooie boel worden als hij net zo zou staan hijgen aan de telefoon als zij nu.

'Waar is ze? Jolien... wat is er gebeurd?' Ze heeft te weinig adem, ongerustheid zit als een klont in haar keel.

'Jolien is gisteren niet op school verschenen en vandaag weer niet, terwijl ze niet is afgemeld. Haar schoolprestaties zijn de laatste tijd ook al niet indrukwekkend. Het lijkt mij een goed idee als wij zo snel mogelijk een gesprek hebben.'

Het is moeilijk om gewoon te doen als ze aan tafel zitten.

Onopvallend bekijkt Anne haar dochter, die met duidelijke tegenzin kleine hapjes eet. Ze ziet er slecht uit. In de kerstvakantie leek ze een beetje op te knappen, maar de school was nog niet begonnen of de kleur verdween uit haar gezicht. Mager en bleekjes, je zou zweren dat ze anorexia heeft en god weet is dat ook zo, hoewel ze altijd dacht dat die meisjes helemaal niets aten of meteen na het eten gingen overgeven in de wc. En dat is niet zo, dat houdt ze in de gaten.

Toch is het een mogelijkheid. Meisjes van die leeftijd halen zich van alles in hun hoofd, er schijnen al basisschoolmeisjes te zijn die zichzelf te dik vinden en op een *crash* dieet overstappen.

En waar is ze vandaag geweest?

Ze heeft Jaap gebeld. Gevraagd of die Jolien toevallig heeft gezien. Het zou tenslotte kunnen dat ze gewoon naar huis is gegaan toen ze wist dat haar ouders er niet waren.

Jaap had het druk, ze hoorde aan zijn stem dat hij

dit niet een bericht vond waarvan het de moeite waard was om hem mee lastig te vallen. Maar hij deed zijn best. Nam zelfs de tijd om op te scheppen hoe vaak hij vroeger gespijbeld had, en kijk eens wat er van hem terecht is gekomen. Alsof het erom gaat wat er later van Jolien terecht moet komen.

Ze heeft de telefoon neergelegd en de uren geteld die ze nog op de zaak moest doorbrengen. Ze kan het zich niet permitteren eerder weg te gaan, ze kan zich helemaal niets meer permitteren, de rek is eruit, de goodwill versleten. Het enige wat haar verbaast is dat ze nog niet bij Hiemstra op het matje is geroepen.

Achter haar bureau heeft ze geprobeerd zich in haar werk te verdiepen. Ergens zwerft haar dochter rond. Laat ze dan geen ongeluk hebben gekregen, dat neemt niet weg dat er genoeg ander onheil is dat haar kan overkomen. Aan de andere kant is Jolien een kind van haar tijd. Die weet heus wel dat je niet zomaar bij iemand in de auto moet stappen. Maar was het niet Ted Bundy die vrouwen in zijn auto lokte door zijn arm te spalken en te vragen of ze hem wilden helpen iets in te laden? Zielig doen, daar zijn meisjes gevoelig voor. Een zielige man krijgt als het erop aankomt misschien wel meer voor elkaar dan zo'n macho met tattoos op z'n bovenarm.

Ze dankte God toen ze het tuinpad op reed en de fiets van Jolien tegen de muur zag staan. Keurig weggezet, niet zomaar neergeslingerd zoals Cas altijd doet.

En Jolien zelf in haar kamer. Die trekt de laatste tijd

haar jack uit en loopt meteen door naar boven, zonder een kwartiertje beneden rond te hangen om koektrommeltjes leeg te eten, hompen kaas af te snijden, een pak melk aan haar mond te zetten en dat zonder adem te halen half leeg te drinken zoals haar broer doet als hij thuiskomt.

Ze hangt haar jas op en raapt een stukje papier van de grond dat onder de kapstok ligt, een servetje. Ze loopt naar het gangraam om te lezen wat erop gedrukt staat.

Stationsrestauratie. Natuurlijk, daar kun je naartoe als je met weinig geld veel tijd moet doorbrengen. Het is er warm, je valt niet op en je kunt lang blijven zitten op een kop koffie. Wat een armoede om zo je dag door te brengen. Wat voor reden kun je hebben om liever tussen zwervers en junks te zitten dan op school?

Ze kan het niet laten, ze moet even haar dochter zien.

Ze klopt en steekt op hetzelfde moment haar hoofd om de hoek van de deur.

Jolien zit achter haar computer met weer die uitdrukking op haar gezicht. Verdriet, afgrijzen, angst... zo kijk je toch niet, als meisje van die leeftijd?

Ze wil vragen wat dat toch is met die computer, wat daar voor engs op te zien is, maar ze zegt: 'Ik wilde alleen maar even dag zeggen.'

Jolien groet beleefd terug.

Als hartelijkheid van het menu is verdwenen is beleefdheid altijd nog een goeie tweede.

Aan tafel gaat alles eigenlijk heel gewoon. Behalve

dan dat Anne uitgeteld is door de angst die ze die dag heeft doorstaan.

Echte fysieke uitputting, die voelt als te lang niet gegeten hebben. Een beetje duizelig is ze en onvast ter been.

Ze moet telkens naar haar dochter kijken, de glans van lamplicht op haar blonde haren, het bleke stille gezichtje.

Niet op school geweest vandaag en niet thuis. Net zoals gisteren.

Maar waar heeft ze dan de dag doorgebracht? Toch niet alleen maar in de stationsrestauratie?

Misschien nog een uurtje in een snackbar. Het park.

God mag weten waar spijbelende kinderen uithangen. En wat de lol is van in je eentje rondzwerven terwijl je vriendinnen op school zijn.

'Blijf nog even,' zegt ze tegen haar dochter, als die na het eten meteen naar boven wil verdwijnen. Met haar hand op de deurknop draait Jolien zich om.

'Waarom?'

'Omdat je vader en ik even met je willen praten.'

De hand glijdt van de deurknop.

'Waarover?'

'Ga even zitten,' zegt Jaap.

Hij was dan wel niet onder de indruk toen Anne vertelde dat Jolien gespijbeld had, maar dat de mentor een gesprek wil, veranderde de zaak. Zeker toen Anne vertelde dat ongeoorloofd afwezig zijn tegenwoordig heel zwaar wordt opgenomen. Voor je het weet is de leerplichtambtenaar erbij betrokken en sta je voor de rechter.

'Wel ja,' heeft hij gezegd, 'we worden daar nog kind aan huis!'

Maar in elk geval wil hij erbij zijn als er met Jolien gepraat wordt. Ze zitten ongemakkelijk bij de open haard.

Jaap en Anne op de bank, Jolien tegenover hen, op het puntje van de stoel, alsof er niet veel voor nodig is haar weer op te laten staan.

Als het tot Anne doordringt dat ze van Jaap niets hoeft te verwachten, schraapt ze haar keel. Als ze eerlijk is moet ze toegeven dat ze geen idee heeft hoe ze dit gesprek moet aanpakken.

Een kind met wie al maanden niet te praten valt – wat kan ze verwachten? Een doorbraak, zoals ze in interviews in vrouwenbladen leest? De dochter dolblij dat ze eindelijk haar zorgen bij haar moeder kan leggen, de moeder dankbaar voor het herstelde vertrouwen, allebei in tranen, nog even knokken met een psycholoog erbij en ze leefden nog lang en gelukkig?

'Waar was je gisteren en vandaag, Jolien?'

Ze haalt haar schouders op. Kijkt langs haar ouders heen naar een punt ergens achter hen in de kamer. Haar mond een streep die een te volwassen uitdrukking aan haar gezicht geeft.

Nog geen jaar geleden was ze een lief rond meisje, dat bij het televisiekijken tegen haar moeder aan kroop en als het griezelig werd haar gezicht tegen Annes arm drukte.

'Is het al over, mam?'

'Ja schatje, die engerd is verdwenen.'

Nu moeten er strenge dingen worden gezegd, waarbij gedachten aan hoe het kort geleden was, alleen maar hinderlijk zijn.

'Ik wil graag antwoord, Jolien. Ik ben door jouw mentor opgebeld omdat je spijbelt. En je vader en ik willen graag weten wat er met je aan de hand is. Waarom je liever op straat rondzwerft dan naar school te gaan!'

'En als je het niet aan ons uitlegt, kun je het binnenkort voor de rechter doen, want zo gaat dat tegenwoordig, knoop dat maar in je oren!'

Jaap werpt na het uiten van deze woorden een zelfvoldane blik op Anne voordat hij tevreden achterover leunt. Dat heeft hij toch maar mooi even gezegd.

En dat is het dan, ze wist het al terwijl Jaap de woorden uitsprak, ze zag het aan Joliens gezicht, het gesprek is doodgelopen voordat het begonnen is.

Ze protesteren geen van beiden als hun dochter opstaat en de kamer uit loopt.

Ze heeft de volgende ochtend vrijgenomen. Geen handige zet wat haar werk betreft, maar er is geen alternatief. Niet met een man die zegt dat hij geen uur van zijn tijd kan missen – kom nou Anne, ik ben met dat faillissement bezig en m'n andere werk gaat ook gewoon door.

Op een dag gaat ze een gillende rel maken over dit onderwerp. Ze voelt het aankomen. Deze houding van Jaap komt erop neer dat hij haar werk wel serieus neemt, maar toch van minder belang vindt dan het zijne. Hij zal het nooit zo formuleren en zeker niet toegeven, maar zijn houding zegt genoeg.

Het maakt trouwens in dit geval niet uit, ze zou hoe dan ook naar Vreeman zijn gegaan. Ze wil weten wat er aan de hand is met haar dochter. Waarom er tussen het begin van het schooljaar en nu zo'n omslag in haar houding heeft plaatsgevonden. Waarom een lief, gezellig meisje in een paar maanden veranderd is in een afstandelijk wezen in wie ze nauwelijks meer haar eigen kind herkent.

Ze hoopt dat Jolien haar niet de school binnen ziet komen. Aan de andere kant, haar dochter weet dat Vreeman contact met haar ouders heeft gehad, dus erg verbaasd kan ze niet zijn als ze haar moeder in de schoolgang ontdekt.

Ze kijkt naar Dick Vreeman, die tegenover haar zit in een kleine kamer met felgekleurde tekeningen aan de muur. Er is duidelijk geprobeerd de ruimte gezellig te maken, ook al wordt een deel van de muur in beslag genomen door metalen archiefkasten en met punaises vastgeprikte roosters.

De koffie die hij aanbiedt zit in een witte aardewerk beker.

Ze kent hem van ouderavonden, een aardige man, die de indruk maakt dat het hem iets kan schelen.

'U heeft niets aan haar gemerkt?' vraagt Vreeman.

Er trilt een zoemer door het gebouw en bijna tegelijkertijd hoort ze deuren opengaan en stemmen en voetstappen in de gang.

Natuurlijk heeft ze iets gemerkt. Waarschijnlijk hetzelfde als hij.

Ze legt uit dat het keer op keer niet gelukt is om met Jolien te praten, dat ze zich natuurlijk zorgen maken, zij en haar man, dat ze verbijsterd zijn over de laatste ontwikkeling, het spijbelen.

Terwijl ze met haar verhaal bezig is, vraagt ze zich af wat hij denkt.

In haar eigen oren klinkt het als een vertoon van machteloosheid. Vader en moeder druk met hun carrière, een dochter die de vernieling in gaat, de onmacht van de ouders om het tij te keren en dan met grote hondenogen naar de school kijken en hopen dat daar in godsnaam iets bedacht wordt wat de zaak nog een beetje kan redden.

'Heeft u enig idee wanneer Jolien veranderde? Wanneer het u begon op te vallen?'

Ze kijkt hem verbaasd aan.

'Even denken... in het najaar, eind oktober... zoiets... ik weet het niet meer precies, er is toen iets gebeurd waardoor ik erg in de war was.'

'Was het misschien omstreeks de tijd dat Kirsten Kooyman verongelukte?' vraagt hij.

Ze weten het.

De docenten, de leerlingen, hun ouders, iedereen in de wijde omgeving weet wat er gebeurd is die avond in oktober.

Het is dus geen verbeelding dat sommige mensen haar aanstaarden, haar nakeken, zacht over haar praatten als ze dachten dat ze het niet hoorde. Ze dacht dat ze paranoïde aan het worden was, dingen merkte die er niet waren, maar ze heeft vanaf het begin gelijk gehad.

En op de een of andere manier is Jolien er de dupe van.

Hoe dat precies kan is haar een raadsel, onlogisch ook, Cas zit op dezelfde school en met hem is niets aan de hand, anders zou ze dat zeker gemerkt hebben.

Vreeman kon er verder ook niets zinnigs over zeggen.

Hij heeft de afgelopen tijd een paar keer met Jolien gepraat. Haar gevraagd of alles oké was. Maar toen had ze nog niet gespijbeld, haar cijfers waren wel minder geworden, maar ze haalde nog steeds voldoendes. Het was op dat moment meer een gevoel dat er iets met haar aan de hand was, dan dat er feiten waren die erop wezen.

Nu is dat gevoel zekerheid geworden.

'Ik denk dat het een goed idee is als Jolien eens gaat praten met de maatschappelijk werkster van de school, nu het met u en uw man niet lukt,' zegt Vreeman.

Ze is een keer in de tuin op een hark gestapt, de klassieke grap, die totaal niet leuk is als je zelf de steel met een onwaarschijnlijke klap tegen je hoofd krijgt.

Zo ongeveer komt het aan wat Vreeman zegt.

'Een maatschappelijk werkster van de school?'

Jaap is oprecht verbaasd.

'Daar moest je vroeger eens om komen! Strafwerk kon je krijgen als je spijbelde. Met een papierprikker de rotzooi in de straten rond de school opruimen, en dat een week achter elkaar. Toen wisten ze nog hoe ze kinderen aan moesten pakken. Maatschappelijk werk... Watjes maken ze van de jeugd.'

Anne voelt het bloed naar haar hoofd stijgen, samen met alle opgekropte woede, alle frustratie van de afgelopen tijd.

Heeft hij ooit weleens aandachtig naar zijn dochter gekeken, wil ze weten, nu al buiten adem terwijl dit nog maar het begin is van alles wat ze kwijt wil. Is het niet in hem opgekomen dat er weleens iets serieus met zijn dochter aan de hand zou kunnen zijn? Nooit gehoord dat er behoorlijk wat pubers zelfmoord plegen? Heeft hij nog niet door dat ze gezakt zijn voor hun examen ouderschap? Niks hebben ze ervan terechtgebracht. Zij niet, maar hij ook niet. Hij moest zijn ogen uit z'n hoofd schamen dat het zover met hen is gekomen dat een buitenstaander de problemen met hun dochter op moet lossen. Zij schaamt zich in elk geval wel de ogen uit haar hoofd.

Halverwege de tirade is ze gaan huilen, ze hoort hoe haar stem jankend overslaat, haar zinnen waarschijnlijk allang niet meer te volgen zijn.

Jaap staat als aan de grond genageld. Verlamd door het ongewone schouwspel. In hun huwelijk heeft hartstocht nooit een grote rol gespeeld, niet in bed en niet erbuiten. Stemverheffingen zijn zeldzaam in dit huis en als ze voorkomen, zijn ze meestal van hem afkomstig.

De vrouw die nu met doorgelopen make-up en rode vlekken in haar hals buiten zinnen tegen hem staat te schreeuwen, is hem onbekend en angstaanjagend.

Hij heeft geen idee wat hij moet doen, een probleem dat wordt opgelost doordat ze de kamer uit rent.

Boven aan de trap staan Jolien en Cas met wit weggetrokken gezichten. Ze stormt langs hen heen de slaapkamer in.

In elk geval doet Jolien nu niet meer alsof ze naar school gaat om de rest van de dag te zoeken naar plekken waar het warm is en goedkoop, en dat is rustgevend.

Ze blijft demonstratief in haar kamer, terwijl Casper in de keuken een paar boterhammen wegspoelt met hete thee en probeert te doen alsof er niets aan de hand is. Casper, aan wie toch echt meer aandacht besteed moet worden, hij krijgt van die eenzame schouders en hij kan soms met een vaag verwonderde blik in zijn ogen naar zijn ouders en zusje kijken, alsof hij niet goed begrijpt hoe hij in dit gezelschap terecht is gekomen. Desondanks blijft hij toch maar doen alsof alles normaal is, alsof niet alles in een tijdsbestek van één dag als met een reuzenhand ondersteboven is gekeerd.

Anne is voordat ze naar beneden ging bij Jolien naar binnen gelopen.

Ze ligt op haar rug, het dekbed dat door twee kleine handjes wordt vastgehouden, hoog opgetrokken. Alleen haar ogen en een gedeelte van haar blonde haren zijn zichtbaar.

'Waarom sta je niet op, Jolien?'

'Ik ga niet meer naar school.'

'Wat bedoel je precies?'

'Nooit meer.'

Dat kan ze dan voor kennisgeving aannemen.

Een kleuter kun je oppakken, onder de douche zetten, aankleden en daarheen brengen waar je hem wilt hebben. Een meisje van dertien niet. Als die wil blijven waar ze is, is vervoer net zo ingewikkeld als dat van een stuk beton.

Trek er maar eens aan. Duw er maar eens tegen. Zie maar eens dat je dit deel van jezelf, dat ineens zo'n vastberadenheid tentoonspreidt, weer onder controle krijgt.

Ze gaat naar beneden, ziet aan de vragende ogen dat er een verklaring van haar wordt verwacht en schenkt zwijgend sinaasappelsap in de glazen.

Jaap is volkomen onthand, ziet ze met enige voldoening.

Door Annes uitbarsting is hij ervan doordrongen dat hij alles fout doet waar het Jolien betreft. Dus houdt hij zich in en stormt niet de trap op om een scène, gelardeerd met de nodige krachteloze dreigementen, in haar slaapkamer te maken, zoals hij anders zou hebben gedaan. Maar zoals het nu gaat, zit hem ook niet lekker.

Hij kiest voor de oplossing die hem altijd uit huiselijke noodsituaties redt, mompelt een groet en vertrekt naar zijn kantoor.

Aan zo'n man heb je wat, godallemachtig, je kunt net zo goed in je eentje zijn, denkt Anne woedend. Ze had hem willen vragen om af en toe een beetje aandacht aan Jolien te besteden. Nu moet ze maar hopen dat hij zelf op het idee komt.

Ze moet ook dringend de deur uit, wil ze op tijd op haar werk komen. Het is verschrikkelijk om Jolien alleen achter te laten, maar ze weet zo snel geen andere oplossing.

Ze ziet Casper langs het raam fietsen terwijl ze haar schoudertas pakt, zijn donkerblauwe rugzak als een vreemd gevormde bult op zijn rug. Hij zwaait zonder naar binnen te kijken, maar ze zwaait evengoed terug, het geeft een gevoel van verbondenheid, langzamerhand een zeldzaam goed in haar gezin.

Ze gaat nog wel even bij Jolien langs, die aandachtig de zoldering ligt te bestuderen en doet alsof ze haar moeder niet binnen hoort komen.

'Kan ik nog iets voor je doen?'

'Nóg iets...?'

Het cynisme druipt eraf.

Dus laat ze haar dochter alleen achter.

Ze is op de rand van tranen als ze de weg op rijdt, langs de drie eiken waar bij het monumentje zo te zien verse bloemen liggen.

Ze heeft niets aan de mensen om zich heen, sterker nog, ze maken haar het leven alleen maar moei-lijker.

Binnenkort zal ze voor de rechter staan, er is geen twijfel aan dat ze veroordeeld zal worden.

Ze denkt aan haar dochter, die haar magere lijfje de laatste tijd verbergt onder wijde truien.

Wat gaat er in haar om, wat is er met haar aan de hand?

Het parkeerterrein bij Hiemstra, Maas, de Jong is bij-na vol.

De plek die ze met moeite vindt is eigenlijk te smal en ze schampt de auto naast haar. Vlekken in haar hals.

Ze noteert het nummer, stormt de hal in, als ze op-schiet kan ze misschien nog net de vergadering halen.

In het voorbijrennen, op weg naar haar bureau om de gegevens voor de vergadering te pakken, legt ze het briefje met het kenteken op het bureau van Atie.

'Zoek even uit van wie die auto is, wil je, ik heb 'm beschadigd.'

Aties bezorgde blik is langzamerhand een constante geworden. Als die van een moeder die constateert dat haar kind minder goed kan lopen dan je op die leeftijd mag verwachten.

'Ze zijn al begonnen met de vergadering, Max neemt het van jou over, hij vraagt of jij hem dan bij zijn afspraak van tien uur wilt vervangen.'

Ze knikt.

Om tien uur komen de hoofden van dienst bij elkaar. De vergadering die ze nu mist is met de raad van commissarissen.

Ze maakt er een potje van, ze ziet het in de ogen van Atie, maar zonder dat zou ze het ook weten.

Hoe dan ook, het geeft haar een onverwachte adempauze.

Ze gaat achter haar bureau zitten en neemt dankbaar de beker koffie die Atie voor haar neerzet, tussen haar twee handen.

Zou Jolien nog steeds in bed liggen?

Sommige belangrijke gebeurtenissen in je leven kondigen zich luid, duidelijk en ruimschoots van tevoren aan, maar er zijn er ook die zich openbaren alsof ze er altijd al zijn geweest, alleen wist je dat zelf niet.

Anne staat op en pakt haar tas.

Bij het bureau van Atie staat ze even stil.

'Ik ga nu naar huis. Wil je alsjeblieft een afspraak met Hiemstra maken voor me? Als het kan morgenochtend.'

De rotzooi in de keuken is nog precies zoals ze die heeft achtergelaten toen ze de deur uit rende.

Ze ruimt de tafel leeg, vult de vaatwasser en brengt haar tempo terug als ze merkt hoe gejaagd haar handelingen zijn.

Ze heeft immers alle tijd.

Het is stil in huis, waarschijnlijk is Jolien in slaap gevallen, ze zal straks gaan kijken.

Ze zet koffie en kijkt uit het raam. Het is lente in de tuin, de hortensia's moeten nodig gesnoeid worden, gek dat ze daar niet meer tot het weekend mee hoeft te wachten. Ze kan het bij wijze van spreken nu gaan doen.

Een zacht geluid achter haar.

In de deuropening staat Jolien, in haar tricot Mickey Mouse-pyjama, een verbaasde uitdrukking op haar bleke gezichtje.

'Waarom ben je weer thuis, mam?'

'Ik wilde thuis zijn.'

Jolien knikt.

Ze verschuift haar gewicht van de ene blote voet naar de ander, de tegelvloer is veel te koud, naast haar bed staan haar bontbeertjes waarmee je in een poolwinter nog warme voeten houdt.

'Pas op kind, als de kou optrekt heb je zo een blaasontsteking' – ze hoort het haar moeder zeggen.

'Als jij je nou eens gaat aankleden, Jolien, dan ga ik thee zetten. Je hebt vast nog niet behoorlijk ontbeten.'

Jolien doet haar mond open alsof ze iets wil zeggen, sluit 'm weer en draait zich om.

Ze zit tegenover Hiemstra, het kolossale bureau tussen hen in.

Hij leunt achterover in z'n Eames-stoel, z'n vingertoppen tegen elkaar, z'n wenkbrauwen licht gefronst.

Ze heeft niet veel tekst. Niet meer dan dat ze ontslag neemt omdat ze niet meer goed kan functioneren.

Hij wacht duidelijk op toelichting, maar ze zou werkelijk niet weten wat ze eraan toe zou moeten voegen.

Een lichte zucht aan de overkant van het bureau, Eames breng hem in een soepele beweging rechtop.

'Geen verklaring... niets... hier moet ik het mee doen? Een paar maanden geleden word je hoofd Human Resources en vanaf dag één is het *downhill* gegaan. Dat je vanaf dat moment niet meer gefunctioneerd hebt, is het laatste wat je mij hoeft te vertellen. Ik was erbij, weet je wel? Ik zou alleen verdomd graag van je willen horen wat er aan de hand is.'

Ze glimlacht, ze kan er niets aan doen, de gelijkenis tussen dit gesprek en dat van Jaap en haar met Jolien, een paar dagen geleden, is te opvallend. Maar hij heeft gelijk. Het was beter geweest als ze meteen na het ongeluk met hem gepraat zou hebben. Door te kiezen voor zwijgen is haar veranderde houding voor de mensen met wie ze werkt volstrekt onbegrijpelijk geworden.

'Het is diezelfde dag gebeurd,' zegt ze. 'Ik was op weg naar huis...'

'Ontslag...?'

Jaap kijkt haar aan alsof hij water ziet branden.

'Op jouw eigen verzoek? Die baan betekende zoveel voor je.'

Hij gaat zitten, wrijft met z'n hand over zijn voorhoofd, hij ziet er de laatste tijd moe uit, het maakt hem oud.

'Voor Jolien?'

Ze knikt.

'Jezus Anne... Ik vroeg me al af hoe het hier verder moest. Ik bedoel, Jolien hier alleen thuis, al die gesprekken met de school... Ik kan zelf geen kant uit, want zo is het toch, ik heb mensen in dienst, afspraken, maar ik heb me wel zorgen gemaakt... God Anne... Dit... Ik vind het groot van je!'

Hij staat op en legt zijn handen op haar schouders.

Ze maakt een onwillekeurige beweging, alsof ze die grote handen van zich af wil schudden. Hij reageert er meteen op en trekt ze terug, maar blijft aarzelend voor haar staan. Ze ziet op ooghoogte een losse knoop aan zijn colbert.

Ze heeft het gevoel dat hij iets wil zeggen, maar hij loopt zwijgend de kamer uit.

Zelf blijft ze nog even zitten, niet omdat ze moe is, maar om de ongekende luxe tot zich door te laten dringen dat er niet meteen actie van haar wordt verwacht.

Atie huilde toen ze wat persoonlijke dingen uit haar bureau haalde.

Ze spraken af dat ze de rest thuis gestuurd zou krijgen.

Max zag ze nergens. Ze zou hem eigenlijk moeten bedanken, als het niet zo absurd zou zijn. Door hem kon ze meteen naar huis. Hij had de zaken voor een deel al van haar overgenomen en zou weinig moeite hebben met de rest.

Nieuw blad perste zich uit de knoppen van de rij oude beuken bij het parkeerterrein.

Wat een opluchting om daar voor de laatste keer weg te rijden.

Ze zitten nu in de officiële molen, en het geeft een veilig gevoel dat een aantal mensen zich beroepsmatig met Jolien bezighoudt.

Zelfs Jaap ervaart het zo.

Hij is opvallend mak geworden sinds het gesprek dat ze met Jolien erbij met de leerplichtambtenaar hebben gehad. Die wond er geen doekjes om dat schoolverlaten op Joliens leeftijd als een zeer serieuze zaak wordt gezien, en absoluut onacceptabel is.

Hun eergevoel als ouders sterft een stille dood als ze moeten toegeven dat ze werkelijk niet weten hoe ze een dertienjarige moeten dwingen iets te doen wat ze niet wil.

Een winstpunt is dat Jolien na het gesprek doordrongen is van de ernst van de situatie. Nooit meer naar school gaan is uitgesloten, de wet laat daar geen enkele onduidelijkheid over bestaan. Maar daar gaat het haar ook niet om, heeft Jolien met een hoogrode kleur en op de rand van tranen geantwoord. Ze wil alleen niet meer naar díe school. Nooit meer.

Het is nu zaak te voorkomen dat Jolien te veel achter raakt met haar schoolwerk, en ze moet zich er maar op in stellen dat ze zeer binnenkort, waar dan ook, weer over haar schoolboeken gebogen zit.

Over de reden waarom ze weigert ooit nog één voet

in haar oude school te zetten, de man drong erop aan dat ze het vertelde, is Jolien halsstarrig blijven zwijgen, en Anne voelde een zekere bewondering voor haar dochter, omdat het voor een kind toch niet meevalt om tegenover al die volwassenen stand te houden.

Een paar dagen na het gesprek stapt Jolien zonder al te veel tegenwerpingen op de fiets voor haar eerste gesprek met Ingeborg Wely, de schoolmaatschappelijk werkster.

Anton Dijkstra belt om te vertellen dat Anne in haar handen mag wrijven over het rapport dat de reclassering over haar heeft geschreven.

'Met dit rapport maak je een serieuze kans er met een niet al te zware straf af te komen, het advies aan de rechter kan werkelijk niet gunstiger. Ik stuur het je op, dan kun je het op je gemak bekijken.'

'Doe maar niet,' zegt Anne, 'ik wil het echt liever niet lezen.'

'Zoals je wilt.'

Het enthousiasme is op slag uit zijn stem verdwenen, hij mompelt een groet en legt neer voordat ze nog iets kan zeggen.

Anne heeft geen idee hoe het eerste gesprek met Ingeborg Wely is verlopen, maar dat het voor Jolien niet makkelijk is geweest ziet ze aan haar gezicht als ze thuiskomt.

Ernaar informeren heeft geen enkele zin, Jolien is

zo gesloten als een oester. Het enige wat Anne weet, is dat er op korte termijn meer gesprekken zullen volgen, en die informatie krijgt ze van Vreeman.

Dat Jolien iedere ochtend aangekleed naar beneden komt als Jaap en Cas verdwenen zijn, om samen met Anne te ontbijten is winst, al klinkt het gezelliger dan het is.

Jolien knabbelt zwijgend aan haar geroosterde boterham en Anne probeert los te komen van het gevoel van stress dat haar zoveel jaren om deze tijd van de dag heeft beheerst.

Het voelt bijna decadent dat ze zich 's ochtends niet hoeft te haasten en zich af kan vragen wat ze met haar dag zal gaan doen.

Ze bedenkt nuttige maar op zich volstrekt onbenullige bezigheden. Ramen lappen terwijl bij Hiemstra, Maas, de Jong de maandagochtendvergadering aan de gang is, om maar iets te noemen.

Het verbaast haar dat ze haar werk niet mist. Iets wat zo lang zo belangrijk is geweest in haar leven, is van de ene dag op de andere weggevallen, en het beroert haar nauwelijks. Hoe dat kan is iets waarin ze zich niet verdiept, maar het zal er wel mee te maken hebben dat vergeleken bij de problemen die ze op dit moment het hoofd moet bieden, het verlies van haar werk van ondergeschikt belang is.

Maar op Jaap heeft wel degelijk uitwerking.

Met de paar dingen die hij in het huishouden deed, is hij meteen na haar gesprek met Hiemstra gestopt.

Een verklaring vindt hij niet nodig.

9

'Als je niet weet wat je zeggen moet, neem ik het van je over. Maak je geen zorgen, ik ben er de hele tijd bij.'

Anton Dijkstra werpt zijn lok naar achteren en kijkt Anne geruststellend aan.

Het is de laatste keer voor de rechtszitting dat ze een gesprek met hem heeft. Over twee dagen is het zover, en hij heeft de hele zaak nog eens met haar doorgenomen.

'Denk eraan, zeg niet meer dan er gevraagd wordt. En laat je in godsnaam niet door dat schuldgevoel verleiden tot uitspraken waarmee je de zaak erger maakt. De rechter zit daar om jou een straf op te leggen, jíj niet! Ik kan alleen maar iets voor je bereiken als jij me niet in de wielen rijdt.'

Jaap is voor dit laatste gesprek meegekomen.

Ze ziet hem vanuit haar ooghoek overdreven knikken bij alles wat Dijkstra zegt. Zelf is ze bijna misselijk van de zenuwen. Het woord 'rechtszitting' is al voldoende om haar in ijltempo naar de dichtstbijzijnde wc te laten rennen.

'Neem iets kalmerends in,' zegt Dijkstra.

'Ik zal ervoor zorgen,' zegt Jaap.

'Was dit alles?' vraagt Anne.

Ze gaat staan en pakt de stoelleuning vast, haar knieën trillen, ze kan zich niet herinneren ooit zo bang te zijn geweest. Ja, toen Cas geboren werd, maar dat ging over toen de weeën begonnen en ze wel wat anders te doen had dan bang zijn.

Tot haar ontzetting hoort ze hoe Jaap Dijkstra uitnodigt voor de lunch. Die slaat dat beleefd af, na een blik op Anne.

Ze lopen naar de auto.

Het is een frisse lentedag, nadat het dagen achter elkaar heeft geregend. Een vlucht ganzen vliegt in druk gesprek over, de koelblauwe hemel als achtergrond. Ze weet nooit of ganzen in dit seizoen terugkomen of juist weggaan, het vogelboekje dat ze haar halve leven al heeft willen aanschaffen, is er nog steeds niet.

Jaap heeft haar elleboog in een stevige greep en leidt haar om plassen heen die ze niet opmerkt en waar ze dwars doorheen gelopen zou zijn.

Ze zit zwijgend naast hem in de auto, terwijl hij zanikt over files en alle tijd die hij kwijt is met dit gesodemieter.

'Werkelijk Anne, ik weet nu al niet hoe ik het in moet halen, en dan is overmorgen ook nog eens die zitting!'

Maar halverwege legt hij zijn hand op haar knie.

'Hé joh, bedenk maar dat het over een paar dagen achter de rug is. Dingen zijn nooit zo erg als je tevoren denkt!'

Maar sommige dingen zijn zelfs erger.

Deze rechtszitting bijvoorbeeld.

Ze heeft een paar kalmerende tabletjes geslikt, en nu voelt het alsof haar zenuwen opgesloten zitten in een put en met geweld proberen het deksel omhoog te drukken.

Ze gaan volgens Jaap veel te vroeg van huis, maar omdat hij doodziek wordt van haar heen en weer geloop van de keuken naar de wc, is hij zonder veel gesputter met haar in de auto gestapt.

Cas heeft haar sterkte gewenst, Jolien heeft alleen maar naar haar gekeken met een uitdrukking op haar gezicht die ze niet kan plaatsen.

Ze komen niet eens erg vroeg aan, want het verkeer valt bar tegen, ze glijden van de ene file in de andere, zodat Jaap de auto uiteindelijk parkeert op de tijd die ze met Anton Dijkstra hebben afgesproken.

Tussen hoge betonnen pilaren door komen ze op een uitgestrekte binnenplaats, een onoverkomelijke vlakte die ze over moeten steken om bij de ingang van het gerechtsgebouw te komen. Ze pakt Jaaps arm omdat de weidsheid haar duizelig maakt.

Het gebouw dat indrukwekkend voor hen oprijst, zou alles kunnen zijn, maar het lijkt vooral een moderne fabriek, en van binnen is het niet veel anders. Een enorme hal, veel staal, steen, glas, een verrassend mooie houten vloer en mensen van wie iedere beweging en elk woord onderdeel vormt van een zachte maar aanhoudende galm.

Aan weerszijden van genummerde deuren staan

bankjes waarop mensen zitten te wachten, vaak gesecondeerd door hun advocaat.

Het zien van de zwarte toga's geeft haar een acute kramp in haar buik.

Anton Dijkstra komt hun tegemoet.

'Hoe is het met je, Anne?'

Ze knikt omdat ze haar stem niet vertrouwt.

In zijn zwarte toga en witte bef ziet hij er verkleed uit, en jonger dan hij is. Het valt sowieso op dat in zoveel toga's die voorbij komen lopen, jonge mensen verstopt zitten, kinderen bijna nog.

Dijkstra kijkt op z'n horloge.

'Nog een kwartier. Koffie?'

'Waar is de wc?' vraagt Anne.

Tegen de wasbak geleund kijkt ze naar haar gezicht, dat er wit weggetrokken en afgetobd uitziet.

Een deur achter haar gaat open, en in de spiegel herkent ze het gezicht van Paula Kooyman.

Ze heeft er geen seconde aan gedacht dat iemand uit de Vennenwijk naar het gerechtsgebouw zou komen.

Marja heeft er niets over gezegd, de laatste keer dat ze koffie bij haar dronk, een dag of drie geleden, terwijl ze het toch geweten moet hebben.

Het was niet erg gezellig. Marja leek afwezig, er vielen stiltes in het gesprek. Anne dacht dat het door haarzelf kwam, omdat ze op was van de zenuwen over de komende rechtszitting.

Ze had kunnen bedenken dat het niet meer dan vanzelfsprekend is dat de ouders van het slachtoffer op de hoogte zijn van de datum van de rechtszitting. Zo-iets krijg je als betrokken partij natuurlijk officieel te horen.

Ze ziet aan de ogen van Kirstens moeder dat ze haar herkend heeft, maar haar gezicht blijft onbewogen. In de wasbak naast die waar Anne staat, wast ze zorgvuldig haar handen, maar de droger gebruikt ze niet. Ze laat haar handen langs de stof van haar zwarte rok glijden en loopt de deur uit.

Dit alles duurt nog geen minuut.

Anne heeft het gevoel dat haar benen haar niet meer kunnen dragen. Ze gaat op een wc-bril zitten, en kijkt naar haar trillende handen.

Ik kan dit niet, denkt ze. O god, ik kan niet verder, ik weet niet wat ik moet doen.

De stem van Jaap.

'Anne! Het is bijna tijd. Schiet je op!'

Ze komt overeind. Als ze die verdomde tabletjes niet had genomen zou het nu niet zo wazig zijn in haar hoofd.

Jaap staat buiten op haar te wachten.

'God Anne, wat is er met jou aan de hand!'

Dijkstra trekt ook al een frons als hij haar aan ziet komen.

Maar vlak voordat ze bij hem is, verstart ze.

Een paar meter achter hem ziet ze een groepje mensen van wie ze iedereen kent. Heleen en Lisa met hun mannen, Marja en Paul, kennissen van de tennisbaan, het lijkt wel alsof de halve Vennenwijk is uitgelopen. Ze hebben zich gegroepeerd rond om de ouders van

Kirsten, die dicht naast elkaar staan, alsof dat het enige is wat hen nog overeind houdt.

Anton Dijkstra legt alles snel en zacht uit.

Links van de grote tafel de officier van justitie. Achter de tafel de drie rechters en daarnaast de griffier.

Achter het kleine tafeltje, haar gezicht naar de rechters, zit Anne, en aan het tafeltje schuin ernaast hijzelf.

'Niet naast mij?' Anne hoort de paniek in haar stem.

'Dichtbij genoeg,' zegt Dijkstra en knijpt bemoedigend in haar arm.

Achter zich weet ze het zaaltje met Jaap en hun kennissen, die door hun gezicht af te wenden hebben voorkomen dat er gegroet moest worden. 'Hou je hoofd erbij!' heeft Jaap nog snel gezegd voordat hij haar losliet.

De drie rechters zijn jonge vrouwen. Een van hen heeft een felgroene lok in haar bruine haren. Gaan deze kinderen bepalen wat er met mij gaat gebeuren, vraagt ze zich af. Waar is de oude grijze rechter die haar over zijn bril streng aan zou kijken?

De officier van justitie is ook al zo jong, een leuk mens met wie je zou willen praten als je haar op een borrel zou tegenkomen.

In juridische termen gevat klinkt wat er die oktoberavond is gebeurd hard en meedogenloos. Maar dat is het ook, zelf heeft ze er nooit anders over gedacht.

Een vrouw die terwijl ze verblind wordt door een tegenligger, niet of niet voldoende heeft afgeremd om een aanrijding te voorkomen. En die op het moment van het ongeval mobiel aan het bellen was, zonder de wettelijk voorgeschreven handsfree voorziening te gebruiken.

Bij het woord 'mobiel' klinkt een zacht geluid achter haar, alsof een aantal mensen op hetzelfde moment de adem inhoudt, en zoiets zal het ook wel zijn.

De officier van justitie is klaar met het voorlezen van de aanklacht.

De middelste rechter buigt zich voorover. Ze wil details weten van wat er is gebeurd. Is Anne het eens met wat er zojuist is voorgelezen.

'Ja,' zegt Anne.

'Ik zou daar graag iets aan toe willen voegen,' zegt Anton Dijkstra snel.

'U krijgt dadelijk het woord.'

De rechter zit nog steeds voorovergebogen. Ze is niet angstaanjagend, meer geïnteresseerd, alsof ze werkelijk wil weten wat er gebeurd is.

'Heeft u het gevoel dat u alles heeft gedaan om de aanrijding te voorkomen?'

'Als ik gestopt was zou het niet gebeurd zijn.'

'Edelachtbare, ik zou nu toch werkelijk graag iets willen zeggen...'

Anne kijkt naar haar handen, die ze plat op het tafeltje heeft gelegd. Ze zijn zo warm dat de omtrek van haar vingers als een waas op het tafelblad verschijnt.

Het is doodstil achter haar. Ze kijkt naar de hoge houten lambrisering, de gigantische veelkleurige schildering erboven. Door het raam achter de rechters, bijna tegen de zoldering aan, is een stuk van een schoorsteen zichtbaar.

Het maakt niets uit, denkt ze. Wat ik ook zeg, het is nooit meer ongedaan te maken. Het enige wat nog een beetje helpt is als degene die je dochter doodrijdt daar tenminste voor gestraft wordt.

'Ik denk dat ik nog aan het bellen was toen ik Kirsten aanreed,' zegt ze.

Wat was het snel voorbij, denkt ze.

Maar niet zo snel als de aanrijding zelf. Iemand doodrijden gaat sneller dan ervoor veroordeeld worden, maar toch, voor haar gevoel heeft ze maar een paar minuten achter dat tafeltje gezeten.

De eis van de officier van justitie is twee jaar ontzegging van de rijbevoegdheid, en een werkstraf van tweehonderdveertig uur. Plus een toespraak over roekeloos rijgedrag, in keiharde bewoordingen die weinig van haar heel laten.

De rechter besteedde juist veel aandacht aan het rapport van de reclassering, waarin het risico op recidive laag of niet aanwezig wordt geacht, het schuldgevoel waaronder Anne gebukt gaat, de invloed die de gebeurtenis op haar gezin heeft en het feit dat ze haar baan heeft opgezegd om meer aandacht aan de problemen van haar dochter te kunnen schenken.

Ze heeft het over zich heen laten komen, lamgeslagen, en als ze op een vraag antwoordde, moest ze haar woorden herhalen omdat haar stem nauwelijks volume had.

Uitspraak over drie weken.

Het geluid van een houten hamer die het tafelblad raakt.

Volgende zaak.

In vergelijking met een mensenleven stelt het weinig voor.

De bekenden van de Vennenwijk zitten nog op hun plaats en deze keer ontwijken hun ogen niet die van Anne. In het voorbijlopen, voordat ze de hare neerslaat, ziet ze er alle gradaties van minachting in.

Jaap is bijna angstaanjagend in zijn woede.

Ze ziet dat hij zijn handen tot vuisten heeft gebald, zijn knokkels zijn wit.

Over haar hoofd heen kijkt hij naar Anton Dijkstra, die heeft geprobeerd te redden wat er te redden viel maar nauwelijks indruk maakte met zijn pleidooi, waarin hij vooral op de gevolgen van het ongeluk voor zijn cliënt hamerde, iets wat al uitgebreid aan de orde was geweest. Maar veel meer kon hij niet, nu zijzelf het ten laste gelegde zo royaal had bekend.

'Geen schijn van kans!' zegt hij tegen Jaap.

'Aan jou ligt het niet.'

Ze doen alsof zij er niet bij is, en dat komt goed uit, want ze heeft alweer last van haar ingewanden.

Ze zit op de wc-bril en leunt met haar hoofd tegen de scheidingswand.

Klikkende hakken komen de ruimte binnen.

'Werkstraf!' Ze hoort de minachting in de stem van Heleen. 'Een paar zaterdagen thee schenken in een bejaardenhuis. Paula en Dick hebben levenslang, en dan heb ik het nog niet eens over Kirsten zelf. Die haar hele leven is afgepakt.'

'Zag je dat lachje? Die vrouw is keihard. Ik heb haar op een feestje meegemaakt, toen het net was gebeurd... Stond ze met een glas in haar hand precies zo te lachen.'

Lisa, denkt ze, van jou had ik niets anders verwacht. Ze doet haar ogen dicht.

Maar ik lachte niet, Lisa. Ik heb na die avond in oktober nooit meer gelachen.

'Dat heb je helemaal niet verteld, van die mobiel,' zegt Marja.

Het is een verwijt, ze doet geen moeite het te verbergen.

'Ik heb je overal verdedigd. Een ongeluk kan iedereen overkomen heb ik gezegd. Voor jou is het ook niet makkelijk, dat zei ik. En nu blijkt dat het helemaal geen ongeluk was!'

Ze zijn elkaar vlak voor Albert Heijn tegengekomen en staan iedereen in de weg. Vrouwen met boodschappentassen proberen zich langs hen heen te wringen.

'Hoe bedoel je, geen ongeluk,' zegt Anne.

Haar mond voelt uitgedroogd, ze is alweer duizelig, dat is bijna een constante de laatste tijd. De trottoirtegels lijken zo ontzettend ver van haar gezicht verwijderd, ze stelt zich voor dat ze valt, die enorme smak die je maakt vanaf zo'n hoogte, en dan gewoon blijven liggen, ogen dicht, niks meer hoeven.

'Kom nou Anne, met een mobiel aan je oor rijden en dan verbaasd zijn dat je iemand doodrijdt. Moet ik daar meelij mee hebben?'

Ze heeft rode vlekken in haar hals terwijl ze praat, en het dringt ineens tot Anne door dat ze bezig is hun vriendschap op te zeggen, al kan ze het niet echt geloven, niet hier, op een zaterdagochtend op het drukste punt van de wijk.

'Natuurlijk zegt niemand dat ik moet kiezen, zo zijn ze hier niet, maar daarom voel ik het nog wel zo. Het heeft nou eenmaal iets raars om bevriend te zijn met Paula en Dick en ook met jou! Je snapt toch wel hoe moeilijk dat is? Wie van jullie moet ik uitnodigen voor feestjes? Dacht je dat Paula en Dick ergens willen komen waar jij ook verschijnt? Maar ik had het allemaal voor jou over toen ik nog dacht dat jij er niets aan kon doen. Maar nu... Kirsten dood omdat jij zo nodig moest bellen!'

Opnieuw dat meedogenloze, onherroepelijke woord 'dood'. Uitgesproken met een zekere wellust. Een mooi rond woord is het, met die zachte d's en die bijna liefkozende o's ertussen. Het zou iets heel anders moeten betekenen, iets liefs dat met voorjaar te maken heeft.

'Ik heb gezegd dat ik niet iemand in de steek kan laten die het op haar manier ook heel moeilijk heeft, iemand met wie ik al jarenlang bevriend ben, en dat is me door sommige mensen niet in dank afgenomen, dat kan ik je wel vertellen. Maar nu liggen de zaken anders. Wat voor excuus heb ik nu nog? Het wordt te ingewikkeld, Anne, dat zul jij toch ook begrijpen?'

Ze wacht niet op antwoord, Anne ziet haar rug ver-dwijnen tussen de winkelende mensen, ze verbeeldt zich het geklik van haar hoge hakken te horen als ze allang uit het zicht verdwenen is.

Mensen kijken haar nieuwsgierig aan, een vrouw die roerloos voor zich uit staat te kijken, een felgele boodschappentas aan haar arm, en zich dan langzaam in beweging zet alsof ze net lopen heeft geleerd, alsof ze na moet denken bij iedere stap die ze zet.

10

Er zijn ochtenden dat ze zichzelf wakker dwingt, en eenmaal ontwaakt zich nog steeds in die afschuwelijke, steeds vaker weerkerende droom gevangen voelt. Ze ziet het meisje weer door de lucht zweven, en met haar hoofd tegen de boom aan liggen.

Ontwaken brengt nauwelijks verlichting. Het gevoel van benauwdheid drukt zo zwaar op haar dat ze het dekbed van zich af schuift in de hoop dat ze dan wat makkelijker zal kunnen ademhalen.

In de badkamer hoort ze Jaap luidruchtig zijn mond spoelen met veel gorgelen en spugen, iets waaraan ze zich vanaf de eerste keer dat ze samen sliepen, geërgerd heeft.

Ze ligt op haar rug, een hand over haar ogen omdat het licht dat door een kier in de gordijnen naar binnen sluipt, haar hindert.

Jaap komt uit de badkamer en gaat op de rand van het bed zitten om zijn sokken aan te trekken. Hij vraagt of ze goed geslapen heeft en zij vraagt hetzelfde aan hem want dat zijn ze zo gewend. Het valt haar ineens op dat ze de vraag nooit beantwoorden.

Met iedere beweging die hij maakt deint de matras

mee; de binnenvering heeft z'n beste tijd gehad, ze zouden allang andere matrassen kopen maar het is er niet van gekomen.

Ze staat op en loopt langs hem heen naar de badkamer, waar ze een tijdje voor de spiegel staat om te wennen aan haar gezicht, dat in een paar maanden tijd zo treurig is geworden.

Terwijl ze haar nachtjapon over haar hoofd trekt constateert ze zonder dat het haar iets kan schelen dat ze alweer magerder is geworden.

De dag die voor haar ligt heeft weinig te bieden wat haar boeit, en al helemaal niets waarop ze zich verheugt.

Ze denkt terloops aan Marja, die ze sinds de zaterdag waarop ze een punt achter hun vriendschap zette, niet meer heeft gezien.

Ze ziet trouwens niemand meer, en voor Jaap geldt dat evenzeer. Alleen zakenrelaties en de mensen met wie hij werkt, maar naar de golfbaan is hij al een tijdje niet gegaan, ze durft hem niet te vragen waarom, en hij doet er geen mededeling over. Zoals zij hem niet heeft verteld dat ze haar lidmaatschap van de tennisclub heeft opgezegd.

Als ze uit de badkamer komt, is Jaap al naar beneden.

Ze trekt aan wat ze de avond tevoren uit heeft getrokken. Een zwarte lange broek, een mohair trui in dezelfde kleur en daaronder een witte blouse. Alles is haar te wijd geworden, maar dat heeft wel iets comfortabels.

Als ze straks beneden komt, zal Cas waarschijnlijk net z'n jack aantrekken en z'n rugzak om z'n schouders slingeren.

Iedere avond neemt ze zich voor om tegelijk met hem beneden te zijn. Niet dat hij lang in de keuken is, want hij heeft altijd haast en propt brood naar binnen terwijl hij schriften en boeken bij elkaar zoekt, maar het gaat om het idee dat ze de moeite voor hem neemt.

Evengoed lukt het de laatste tijd zelden.

Misschien is het ook niet belangrijk. Jaap is beneden, die zet thee en schenkt sinaasappelsap in, langzamerhand de enige taak die hij op zich neemt voordat hij zich over het ochtendblad buigt.

Ze zouden toch echt eens over Cas moeten praten, die een beetje in de verdrukking is gekomen nu alle aandacht naar Jolien uit gaat, alleen weet ze bij voorbaat al dat Jaap het onzin zal vinden. Van zijn huisgenoten is Cas de enige van wie hij geen last heeft, daar gaat hij echt geen extra energie in stoppen.

Maar Cas is het rustige type kind dat nooit zal klagen maar zijn eigen oplossingen zoekt, en daar maakt ze zich zorgen over. Haar knuffelkind, dat nog bij haar op schoot kroop toen hij daar eigenlijk allang te groot voor was, zijn armen en benen staken aan alle kanten uit, maar hij vlijde zijn hoofd tegen haar schouder en leek oprecht tevreden.

Nu is thuis een soort hotel geworden waar hij nauwelijks nog is. Zelfs zijn huiswerk maakt hij bij vrienden, en geef hem eens ongelijk, zo lollig is het hier allang niet meer.

Jaap vindt het allemaal best, om het simpele feit dat Cas een jongen is en jongens zichzelf kunnen redden, die hoeven niet aan het handje van hun ouders te lopen, hoe eerder volwassen hoe beter.

Anne krijgt een wee gevoel in haar maag bij het woord 'volwassen' en de daaraan gekoppelde gedachte dat haar kinderen groot zullen zijn en haar dan niet meer nodig hebben, ook niet voor praktische dingen, zodat je als ouders samen achterblijft in de wetenschap dat niets van wat je verkeerd hebt gedaan, ooit nog kan worden goedgemaakt.

Sinds een paar weken gaat Jolien iedere dag naar een onderwijszorgcentrum, waar ze in een kleine klas met acht leerlingen dezelfde leerstof krijgt als haar klas in het gebouw waar ze niet meer wil komen.

Acht kinderen die om de een of andere reden niet meer naar hun eigen school kunnen of willen; Anne wist niet dat het vaker voorkwam. Het is een geruststellende gedachte dat zij niet de enige ouders zijn wie zoiets overkomt.

Het is trouwens een noodmaatregel die niet langer dan drie maanden mag duren, in dit geval tot het einde van het schooljaar. Van Anne en Jaap wordt verwacht dat ze daarna een definitieve oplossing voor het probleem vinden.

Voor het moment is Jolien gered. Een kleine klas, haar eigen schoolboeken, een persoonlijke begeleiding, alles erop gericht dat ze niet achter raakt.

Waarom het allemaal nodig is, waarom een kind dat

altijd lief en meegaand was zo dwars gaat liggen dat de hele wereld zich ermee moet bemoeien, die vraag is nog steeds niet beantwoord.

Er zijn nu drie gesprekken geweest met Ingeborg Wely. Jolien is de laatste keer met dikke ogen thuisgekomen, maar wat er aan de hand is, is niet duidelijk.

Anne denkt aan de keren dat ze haar dochter achter haar computer heeft aangetroffen. De uitdrukking op haar gezicht alsof ze naar iets afzichtelijks had zitten kijken. Wat het ook was, het moet iets te maken hebben met wat er de laatste maanden is gebeurd.

Een onverdraaglijke gedachte, dat de oplossing van het raadsel boven in de kamer van Jolien zou kunnen liggen, onbereikbaar door de stilzwijgende afspraken in het gezin dat je niet in elkaars kamer en aan elkaars spullen komt zonder expliciete uitnodiging.

Toch wordt de neiging om op zoek te gaan in die kamer en in die computer steeds sterker. Dat Jolien haar nooit meer zal vertrouwen als ze erachter komt dat ze in haar spullen heeft gesnuffeld, is het enige wat haar tegenhoudt.

Anne denkt vaak aan haar eigen moeder, de dagboeken die op tafel lagen toen ze uit school kwam. Er waren geen problemen die dat rechtvaardigden, er was alleen een moeder die vond dat ze recht had op de privégedachten van haar dochter.

Dit is een ander geval. Al die kostbare tijd die verloren gaat omdat Jolien haar mond houdt – ze zal het zichzelf nooit vergeven als er straks iets ergs gebeurt, iets waaraan ze niet durft te denken maar wat voorkomen had kunnen worden als ze de moed zou hebben gehad om op onderzoek uit te gaan.

Joliens blauwe laptop staat keurig dichtgeklapt op haar bureautje.

Anne gaat erachter zitten, haar handen op het gladde deksel.

Ze heeft een ordelijke dochter. Schoolboeken en schriften liggen in keurige stapeltjes, ballpoints en viltstiften in een beker waarop vrolijke beertjes door felgekleurde ballonnen de lucht in worden getrokken.

Ze trekt een laatje open en ziet een stapel kleurige ansichtkaarten uit de tijd dat ze nog vriendinnen had die haar vanaf hun vakantieadres gekke berichtjes stuurden. In een andere la liggen uit tijdschriften geknipte foto's van gebruinde jongens die op een pruilerige manier zwoel in de camera kijken. Bizar, dat meisjes op zulke jongens vallen. Alhoewel, was James Dean niet ooit het idool van miljoenen meisjes? En als er iemand pruilend tegen een muur kon leunen was hij het wel.

Anne haalt diep adem, doet de laptop open en zet de computer aan.

Zacht zoemend komt het beeldscherm tot leven.

Moeilijk om te zoeken als je niet weet naar wat.

Ze tuurt het computerscherm af. Er staan behoorlijk wat mappen op, allemaal voorzien van duidelijke aanwijzingen. Wiskunde. Biologie. Werkstuk Nederlands. Cijfers eerste kwartaal.

Het is duidelijk dat er op deze plek niets bijzonders

te vinden is, áls er al iets te vinden is.

Het is tenslotte niet meer dan een idee, dat de crisis waarin Jolien terecht is gekomen iets te maken heeft met haar computer.

Ze zoekt verder... 'Documenten' levert misschien iets op... Een voor de hand liggende plek als je iets wilt opbergen.

Ze laat de cursor over een rijtje titels glijden en komt niets bijzonders tegen. Totdat ze bij een map belandt waarop 'naamloos' staat. Geopend levert die niets anders op dan een rijtje data, en ze wil de map net sluiten als haar iets opvalt. De laatste datum is een dag geleden. De eerste een dag in oktober, waarvan ze zonder na te denken weet dat het de dag was waarop Kirsten Kooyman begraven werd.

De tekst vult met vette letters in verschillende kleuren het beeldscherm.

JOUW KUTMOEDER IS EEN MOORDENAAR...!

Zaterdag om negentien uur tien, denkt Anne, terwijl haar trillende handen aan weerszijden van de laptop liggen. Ik was in huis toen Jolien het eerste mailtje kreeg. We hadden waarschijnlijk net gegeten, en Jolien is naar boven gegaan en heeft uit gewoonte gekeken of er mail voor haar was. Wat deed ze, toen ze het gezien had? Heeft ze, net zoals ik, een tijd voor zich uit zitten staren? Kon ze haar ogen niet geloven? Heeft ze meteen begrepen dat het hier niet bij zou blijven?

Ze kijkt naar de data, er is bijna geen dag dat er

179

niets is binnengekomen, en Jolien heeft alles bekeken en het vervolgens keurig opgeslagen alsof ze een verzameling aanlegde.

Het is bijna niet te verdragen om te lezen wat er aan vunzigheid naar haar dochter is gestuurd, maar het is het minste wat ze kan doen, Jolien heeft het tenslotte ook moeten doorstaan.

JIJ HAD DOOD MOETEN ZIJN STOMME TRUT EN NIET KIRSTEN.

WE HOUDEN JE IN DE GATEN... ALS WE DE KANS KRIJGEN GA JE ERAAN!

DAT WAS SCHRIKKEN HÈ, GISTEREN, WE HADDEN JE BIJNA!

JE WEET WAT ER GEBEURT ALS JE JE BEK OPEN DOET!

Wie, denkt Anne, wie hebben dit bedacht?

Het is telkens dezelfde afzender, Jessica@hetnet.nl. Ze hebben niet eens de moeite genomen hun mailtjes anoniem te sturen. Zeker als ze waren van Joliens zwijgen, dat bereik je dus met terreur.

In de mailtjes wordt over 'we' gepraat. Meisjes uit Joliens klas? Uit parallelklassen? Het kan niet dat iedereen eraan mee heeft gedaan, het moet een groepje zijn, meisjes die samenklitten. Wie kan haar daar iets over vertellen?

Ze kijkt op haar horloge. Vier uur. Sanne kan nu thuis zijn uit school. De beste vriendin van Jolien, die ze sinds het ongeluk niet meer heeft gezien. Hoe is het mogelijk dat het niet in haar is opgekomen dat die twee dingen met elkaar te maken hadden? Hoe stom kun je zijn!

Misschien heeft Sanne aan die mailtjes meegewerkt, en is dat de reden van de breuk, alhoewel ze het zich nauwelijks kan voorstellen. Maar van andere meisjes kan ze het zich ook niet voorstellen. Het is zo'n keurige school, als je die meiden ziet, allemaal even leuk en vriendelijk, allemaal met keurige ouders, en ondertussen worden er zulke mailtjes gestuurd.

Ze loopt naar de badkamer en spoelt haar mond, maar de smaak van braaksel blijft hangen.

Ze zou iets aan haar haren moeten doen, ziet ze in de spiegel, haar lippen stiften, ze ziet eruit zoals Jolien die paar keer dat ze haar achter haar computer heeft aangetroffen. Het doet fysiek iets met je, zulke dingen lezen, en dan zijn ze nog niet eens aan haar gericht.

Ze stapt in de auto, haar tank is bijna leeg maar er zit genoeg in om naar Sannes huis te rijden.

Ze boft. Sanne doet zelf open en schrikt zichtbaar als ze Anne ziet.

'Ik wil even met je praten, Sanne.'

Ze stapt ongevraagd langs Sanne het halletje in.

Een antieke spiegel hangt boven een mahoniehouten tafeltje, waar een boeket gedroogde hortensia's tussen twee kandelaars met lila kaarsen staat. De geur van parfum vanuit de mantels aan de kapstok.

'Sanne, wat weet jij over mailtjes die naar Jolien zijn gestuurd?'

Sanne kijkt haar geschrokken aan.

'Sanne, ik móét het weten. Als jij het zelf bent, zeg het dan, als ik het maar weet!'

Ze pakt Sannes schouders.

'Mámma!'

De kamerdeur gaat open. Sannes moeder, slank en blond, loopt de gang in.

'Wat is hier aan de hand! Anne, laat haar los, ben je gek geworden!'

Anne negeert haar.

'Sanne, alsjeblieft, begrijp je niet hoe belangrijk het voor ons is!'

Sanne begint te huilen, worstelt zich uit Annes greep en loopt langs haar moeder de gang in, die nu als een furie voor Anne staat.

'Hoe haal je het in je hoofd om mijn dochter lastig te vallen!'

'Laat het me uitleggen. Het is belangrijk, het gaat om Jolien.'

'Met Jolien hebben we niets meer te maken. Met jou trouwens ook niet.'

Anne kijkt haar aan alsof ze haar voor het eerst ziet.

Er was een tijd dat ze samen wijn dronken in de tuin, die paar jaar voordat Anne zich op haar carrière stortte. Bruine benen in gympen, rokjes tot hun dij-en opgetrokken, glimlachend om hun kinderen die zo leuk aan het spelen waren in het rubber badje, roddelend over hun mannen. Ze kennen elkaar al zo lang, maar dat stelt als het erop aankomt dus niets voor, en dat is vreemd. Dat je een ellenlange lijst kunt maken van mensen met wie je dacht iets gemeenschappelijks te hebben, om je dan te realiseren dat het allemaal lucht is geweest.

Anne draait zich om en loopt langzaam de deur uit.

Ze gaat rechtstreeks naar Joliens kamer om de laptop te halen, sluit hem in haar eigen werkkamer aan op haar printer en print vel na vel met dreigementen, obscene teksten en beledigingen.

Dat de afzender bekend is, zal het voor Vreeman makkelijker maken de zaak uit te zoeken.

Jessica, ze heeft Jolien nooit die naam horen noemen, het is in elk geval niet een van haar vriendinnen geweest.

Sanne had haar misschien kunnen vertellen wie erachter zaten, maar daar hoeft ze nu niet meer op te hopen. Ze heeft het fout aangepakt, het kind is zich doodgeschrokken, die gaat voortaan al gillen als ze haar ziet.

Ze stopt het stapeltje prints in een map en zet de laptop terug op Joliens bureau.

Nu komt het moeilijkste, haar emoties buitensluiten.

Vooral geen tranen, wat moeilijk is want ze branden al uren achter haar oogleden. Maar het gaat nu niet om haarzelf maar om Jolien, voor wie de confrontatie met de mailtjes zo kalm mogelijk moet verlopen.

Al die maanden dat ze hiermee rond heeft gelopen!

Er zijn ook dreig-sms'jes geweest, dat kan niet anders, misschien is het daarmee begonnen, dat moet de reden zijn dat Jolien haar mobieltje niet meer gebruikt.

Daarna kwamen de mailtjes. Op een computer die ze iedere dag voor haar schoolwerk moest gebruiken, zodat het bijna onmogelijk is om te negeren wat je toegestuurd krijgt. En op school de directe confrontatie met die meiden, iedere dag opnieuw, opgewacht als ze haar fiets in het fietsenhok zette, opgejaagd als ze naar huis ging.

Wat moet ze bang geweest zijn, dat kan niet anders.

Maar alles wat ze probeerde, schoolziek, spijbelen, is op niets uitgelopen.

Dus is ze iedere dag maar weer op haar fiets gestapt, haar persoonlijke hel tegemoet.

Mensen krijgen onderscheidingen voor minder moed.

Ze ziet Jolien de tuin in fietsen, en het valt haar weer op hoe mager haar dochter is geworden. Maar ze ziet er beter uit dan de afgelopen tijd, het doet haar duidelijk goed dat er in elk geval geen persoonlijke confrontaties met haar kwelgeesten meer zijn.

'Jolien? Wil je even binnenkomen?'

Op slag verschijnt er wantrouwen in de ogen van haar dochter.

Mam wil met me praten, dat kan alleen maar gedonder geven, gesprekken met je ouders zijn nooit
leuk. Anne ziet het haar denken.

'Ga even zitten.'

Haar dochter laat zich op een stoel neerzakken.

'Wil je hier alsjeblieft even naar kijken?'

Ze geeft de map aan Jolien, die hem verbaasd aan-
neemt en openslaat.

Het is de gruwelijkste schreeuw die Anne ooit heeft
gehoord.

De map glijdt van Joliens schoot, de teksten liggen door elkaar op de grond, een aantal duidelijk lees-
baar.

Maar ze loopt niet weg, en als Anne haar beetpakt,
het schokkende meisjeslijf dicht tegen zich aan, worstelt ze zich niet los.

Zo simpel is het dus.

Er gebeuren vreselijke dingen met je, maar je houdt
je mond omdat je moeder al zoveel verdriet heeft en
dat van jou er niet ook nog eens bij kan hebben. Omdat je niet wilt dat ze leest wat er over haar gezegd
wordt.

Een kind van dertien op de barricade voor haar
moeder, in haar eentje opboksend tegen een groep
bitches die met ziekelijke wellust bekijken wat voor ef-
fect ze op haar hebben.

Het verhaal komt er hortend en met onderbrekin-
gen uit. Maar namen noemt ze niet, en als Anne ernaar vraagt verstijft ze, alsof het benoemen van haar

beulen voldoende is om onheil over zichzelf af te roepen.

Vreeman bekijkt de mailtjes met een frons tussen zijn wenkbrauwen.

'Arm kind,' zegt hij, en dat doet Anne goed. 'Dit hebben we gemist. We krijgen vaak signalen van vriendinnen dat iemand gepest wordt. Maar hier heb ik werkelijk niets van gemerkt. Jessica hoort bij een vriendinnenclubje rondom Nadine. Dan klopt het in elk geval dat het iets met de dood van Kirsten te maken heeft. Het zou me trouwens verbazen als Nadine er iets van weet, die is veel te veel bezig met het verwerken van Kirstens dood om energie voor zo'n actie op te kunnen brengen. Er zitten een paar erg dominante meisjes bij dat ploegje, het zou me niet verbazen als die de hele hetze bedacht hebben. We gaan dit tot op de bodem uitzoeken.'

'Het betekent in elk geval dat Jolien hier nooit meer terug kan komen,' zegt Anne. 'U kunt moeilijk een hele kluit meisjes van school sturen. Bovendien, Joliens herinneringen aan deze school zijn natuurlijk niet al te best.'

'Ik vrees dat u gelijk heeft,' zegt Vreeman.

Die avond als ze naar bed gaan zegt Jaap dat het hem spijt dat hij Jolien zo verkeerd heeft beoordeeld.

'Ik dacht echt dat het kuren van een puber waren, maar god, zoiets als dit komt toch niet in je op!'

Hij staat half achter haar en ze kijkt naar hem in

de spiegel boven een antiek bureautje, dat als kapta-
fel dienstdoet, vol met flesjes en smeerseltjes die ze
hoopvol heeft gekocht en na één keer proberen heeft
afgedankt, haar hand met de haarborstel erin half ge-
heven. Een klassieke pose, maar wel uit een film die
alleen nog in filmhuizen gedraaid wordt en dan nog
zelden.

Ze merkt aan zijn zwijgen dat hij op een reactie van
haar wacht, en ze legt de borstel neer en keert zich
naar hem toe.

'Heb jij ook niet steeds vaker het gevoel dat het er
allemaal niet meer toe doet? Dat het niet uitmaakt wat
wij doen of niet doen, zeggen of niet zeggen? Alsof
het huis besmet is, met ons erin. Builenpest, of iets anders wat ons afzichtelijk maakt in de ogen van anderen. Geen ontkomen aan. Herken je dat gevoel?'

Ze keert zich weer naar de spiegel, zonder zijn antwoord af te wachten, en gaat verder met het ritmisch
borstelen van haar haren.

Ze heeft tegen Vreeman gezegd dat ze de namen wil
weten van de meisjes die aan deze haatcampagne hebben meegedaan.

'Wat wilt u ermee doen?' heeft hij gevraagd.

Ze kan moeilijk zeggen dat ze ze dood wil maken,
stuk voor stuk. Dat ze nooit eerder in haar leven ver-
vuld is geweest van zo'n intense haat.

Aan zijn ogen ziet ze dat hij haar gedachten geraden
heeft.

'Ze komen hier echt niet mee weg, daar hoeft u

niet bang voor te zijn.'

Maar daar is ze nou juist wél bang voor. Wat voor sancties heeft Vreeman tot zijn beschikking? Het zal wel neerkomen op een pittig gesprek met de ouders erbij. In het ergste geval een schorsing van een paar dagen. Maatregelen die in geen verhouding staan tot wat die rotmeiden hebben aangericht.

Ze belt Anton Dijkstra.

'Natuurlijk kun je wat doen,' zegt hij, als hij haar verhaal heeft aangehoord.

'Met die mailtjes in je hand heb je die kinderen zó voor de jeugdrechter. Laten ze daar maar eens duidelijk maken waarom het zo leuk is om iemand weg te pesten.'

Ze vertelt het in triomf aan Jaap, in de verwachting dat hij het met haar eens is dat ze dit niet op zich kunnen laten zitten.

'Wat denk je ermee op te schieten,' zegt hij. 'Dat we de paar mensen die nog geen partij hebben getrokken ook tegen ons krijgen?'

'Welke mensen?'

Hij haalt zijn schouders op.

'Ik probeer hier een zaak te runnen, Anne. We zijn meer gebaat bij rust om ons heen dan bij een nieuwe rel.'

Ze kan haar oren niet geloven.

'Dus we doen niets?'

'We laten het aan de school over.'

'Lafaard,' zegt ze. 'Je dochter laten vallen omdat je zaak belangrijker voor je is.'

'Mijn zaak zou minder belangrijk voor me zijn als jij nog een baan had,' zegt hij. 'Er moet hier toch iemand zorgen dat er brood op de plank komt.'

'Dat is een smerige opmerking.'

'Ik vond 'm eigenlijk wel ter zake,' zegt Jaap.

Ze ontlopen elkaar zoveel mogelijk, en als contact onvermijdelijk is, zijn ze pijnlijk beleefd.

Het is niet de eerste keer dat hun huwelijk zo'n geruisloze crisis doormaakt, en ze weet dat die net zo geruisloos voorbij zal gaan omdat het nu eenmaal niet mogelijk is om elkaar in een gezin te blijven negeren. Ook deze keer zal er niets uitgepraat, laat staan opgelost worden. Ze zou bovendien niet weten wát er opgelost zou moeten worden. Ze hebben een huwelijk zoals Jaap en zij dat beiden thuis gewend zijn geweest. Een echtpaar dat het redelijk goed met elkaar kan vinden en onder het motto 'overal is weleens wat' elk conflict onder het vloerkleed schuift.

Jolien loopt nog steeds rond met dat bleke tobberige smoeltje, maar ze zondert zich niet meer af en als Anne staat te koken, glipt ze als een schim de keuken binnen om aan de keukentafel verder te gaan met haar huiswerk.

Anne had haar het liefst een weekje thuis gehouden, maar ze begrijpt dat dat niet haalbaar is.

Dus zit ze 's ochtends aangekleed aan de gedekte keukentafel, met uitgeperst sinaasappelsap en geroosterde boterhammetjes, waar vooral Cas verbaasd en opgewekt gebruik van maakt.

Ze zwaait haar kinderen uit en die zwaaien terug, wat weer eens iets anders is, en als ze uit school komen zit ze klaar met thee en koekjes en de kinderen komen even bij haar aan de keukentafel zitten omdat het zo nieuw is voor ze. Over een week zullen ze nonchalant langs haar heen lopen, daarover maakt ze zich geen enkele illusie.

Haar werk mist ze nog steeds niet. De jaren dat weinig dingen zo belangrijk voor haar waren als haar baan, lijken bij een ander tijdperk te horen, bij een andere vrouw, die om de een of andere reden het verwaten idee had dat ze zelf richting aan haar leven kon geven.

Het is bizar dat ze niet alleen de grip op de mensen om haar heen kwijt is geraakt, maar vooral ook op zichzelf.

Vreeman heeft geadviseerd Jolien goed in de gaten te houden, alsof ze dat uit zichzelf niet doet.

'Ze heeft erg veel meegemaakt voor een meisje van haar leeftijd. En we weten hoe goed ze is in het verbergen van haar emoties. Ik denk dat ze met een psycholoog moet praten, straks, als ze op een nieuwe school haar weg heeft gevonden.'

Ze weet dat hij gelijk heeft, maar het zoeken van een nieuwe school is nog niet zo makkelijk. Een school in een andere plaats zou het beste zijn, maar dan gaat er weer zoveel tijd verloren met reizen. Tenzij het hele gezin zou verkassen.

Het is een gedachte die de laatste tijd vaker in haar is opgekomen. Wat hebben ze hier nog te zoeken in een wijk waar ze door iedereen worden uitgekotst? Maar Jaap zal niet weg willen. Hij heeft zoveel in zijn zaak geïnvesteerd, tijd, geld, energie, hij zal er niet over peinzen dat op te geven.

Jaap heeft een nieuw e-mailadres voor Jolien geregeld. Daar zullen die rotmeiden van opkijken, als de shit die ze misschien nog steeds naar Jolien sturen per omgaande retour komt. Maar de goeie ouwe tijd is daarmee niet teruggekomen, en Anne realiseert zich dat ze daar ook niet op hoeft te rekenen. Er is te veel gebeurd. Haar dochter is gehavend door iets waarmee ze niets te maken had.

Vreemd genoeg heeft ze haar moeder nooit verwijten gemaakt, maar Anne kan zichzelf niet vergeven wat ze in het leven van de mensen om zich heen heeft aangericht.

Het werkt bijna louterend dat ze geen vrienden meer hebben, dat haar beste vriendin koeltjes knikt als ze elkaar op straat tegenkomen, dat straks de tenniscompetitie gaat beginnen zonder haar en dat ze tien kilometer rijdt om in het volgende dorp haar inkopen te doen omdat ze de blikken en het gefluister op straat niet kan verdragen. Afstraffingen zijn het, stuk voor stuk, die gevolgd zullen worden door het vonnis van de rechtbank, de échte straf, die net zo onlosmakelijk met schuld verbonden is als wat haar in haar eigen wijk overkomt.

Voor de ouders van Kirsten zal het weinig uitmaken wat er met haar gebeurt. Al zou ze naar Siberië ver-

bannen worden, dan nog zou dat hun dochter niet te-
rugbrengen.

Veel verrassingen zal het vonnis volgens Anton
Dijkstra niet opleveren. Het zal hoe dan ook lichter
zijn dan de eis, het advies van de reclassering was gunstig, zoiets telt zwaar mee.

'Er is een stel meiden geschorst uit de tweede!'

Cas vertelt het enthousiast, iedere rel op school is
welkom.

'O ja? Wat is er gebeurd?'

'Weet ik niet. Iets met mailtjes. Misschien hebben
ze een leraar bedreigd, daar ga je tegenwoordig de gevangenis voor in, wist je dat?'

Hij tilt het deksel van een pan op.

'Brussels lof, yak!'

'Met ham en kaas,' prijst ze aan.

'Iets minder yak!'

Hij geeft haar een vriendelijk tikje tegen haar bil,
iets van de laatste tijd, ze moet haar plaats weten als
vrouw in huis zal de achterliggende gedachte wel zijn,
en hij verdwijnt na te hebben gevraagd hoelang het
nog duurt voordat het eten op tafel staat.

Ze zijn dus geschorst, de meiden die Jolien van
school verdreven hebben. En dat is hopelijk het topje
van de ijsberg, want Vreeman zal het daar moeilijk bij
kunnen laten.

Maar dat ze Dijkstra niet op hen heeft losgelaten, zit haar nog steeds dwars. Toeschouwer zijn in de
rechtszaal, de rollen omgedraaid, laat nu een ander

zich maar eens verantwoorden. Geen hoogstaand verlangen – ze is de eerste om het toe te geven – maar wat
zou ze ervan genoten hebben.

Ze zet haar gele boodschappentas onder de kapstok.

Het was druk in de supermarkt in dat andere dorp,
een lange rij voor de kassa, een zenuwachtig school-
meisje erachter dat niet op haar taak berekend was.

Eigenlijk moet ze de tas meteen uitpakken, er zitten
vleeswaren bij en de verwarming staat hoog, maar ze
is er nu even te moe voor.

Er ligt post op de deurmat, ze pakt de enveloppen
op en loopt ermee de keuken in.

'Is er iets voor mij bij?'

Jaap zit met de krant uitgespreid voor zich aan tafel,
zijn belangrijkste bezigheid op de zaterdagochtend,
een dampende beker met koffie in zijn hand.

Ze legt het stapeltje voor hem neer, trekt haar jas
uit, en laat die op een stoel vallen, iets waarover de
kinderen altijd onmiddellijk een opmerking krijgen.

Terwijl ze koffie voor zichzelf inschenkt en tegenover hem gaat zitten, gaat hij door met het openen van
enveloppen.

'Wel godallemachtig!'

Hij springt van zijn stoel, een brief in zijn hand, en
stormt de gang in.

'Cas! Beneden komen! Onmiddellijk!'

'Wat is er? Jaap, wacht nou even, vertel nou eerst
even wat er is.'

Ze is hem achternagelopen, ruzie tussen Jaap en

Cas is het laatste waaraan ze behoefte heeft.

Hij negeert haar, zijn gezicht vertrokken van woede, en kijkt omhoog, zwaaiend met de brief, terwijl haar zoon met een verbaasd gezicht boven aan de trap verschijnt.

'Cas!'

Hij komt langzaam naar beneden, Anne ziet aan zijn gezicht dat hij geen idee heeft wat er aan de hand is maar tegelijkertijd vermoedt dat het er niet best voor hem uitziet.

Jaap wappert met de brief.

'Een bekeuring! Vijftien jaar en aangehouden op een brommer!'

Hij is angstaanjagend in zijn woede, en Cas doet een voorzichtige stap achteruit. Hij staat nu weer op de eerste tree, Jaap bijna tegen zich aan.

'Ben je helemaal van god los! Weet je wat het betekent als jij iemand doodrijdt? Niet verzekerd?'

Cas haalt zijn schouders op.

Jaap haalt uit, het is een harde klap, de wang van Cas kleurt onmiddellijk felrood.

'Klootzak!' zegt Cas.

Ze staren elkaar sprakeloos aan.

'Hou op!' zegt Anne. 'Allebei. Nú ophouden! Cas, naar boven! Jaap, kom hier. Dit kan niet.'

Cas stormt de trap op. De deur van zijn kamer slaat dicht.

Jaap draait zich naar Anne om.

'Dit is een gekkenhuis. Ik ben omringd door idioten. Jij met je halvegare kinderen, ik ben hier de enige die nog een beetje z'n hersens bij elkaar heeft.'

Ze wil iets terugzeggen. De rel heeft haar verlost van haar vermoeidheid, Jaap is niet de enige door wiens aderen adrenaline giert, ze begint nu zelf ook aardig kwaad te worden.

Er is nooit geslagen in dit gezin, wat er ook gebeurde. Je houdt als ouders je handen thuis.

En dan ziet ze dat Jaap huilt. Rechtop aan tafel, z'n armen langs z'n lijf, zonder moeite te doen het te verbergen, tranen over zijn gezicht, snot uit zijn neus.

De laatste keer dat hij huilde was toen zijn ouders begraven werden, hij had nog een jong gezicht, toen. Hoeveel jaar is dat alweer niet geleden?

Ze gaat tegenover hem zitten, schuift de beker koffie waar een rimpelig vel op zit met walging van zich af en kijkt naar haar man, die een papieren servet van tafel pakt en er onhandig mee langs zijn ogen wrijft.

Mensen die van elkaar houden troosten elkaar, maar zelfs zoiets simpels is tussen hen niet meer mogelijk.

Ze probeert er diezelfde avond over te praten.

Jolien zit in de voorkamer televisie te kijken, Cas is verdwenen nadat hij tegen Anne heeft gezegd waar hij naar toe ging. Jaap heeft hij genegeerd.

'Je had hem niet moeten slaan, Jaap.'

Ze ziet de aderen op zijn voorhoofd zwellen.

'Heb je enig idee... enig idee wat er gebeurd zou zijn als hij de vader van een gezin had doodgereden? Niet verzekerd? Niet gerechtigd op een brommer te rijden? We waren geruïneerd geweest, Anne. We hadden de tent kunnen verkopen. We zouden er de rest van ons leven financieel aan vastgezeten hebben.'

'Hoe kan hij dat nou weten?'

'Dat hoeft hij niet te weten. Het enige wat hij moet weten is dat hij tot z'n zestiende moet wachten voordat hij op een brommer mag rijden.'

'En toch had je hem niet moeten slaan. Je hebt de kinderen nooit eerder geslagen.'

'Toe maar, maak maar een kinderbeul van me. Waarom geef je me niet aan? Ik weet nu hoe het toe gaat in een rechtszaal. Standje. Werkstraf. Volgende zaak.'

Ze heeft er ineens geen zin meer in.

In de voorkamer kijkt Jolien gefascineerd naar de herhaling van een show van Theo Maassen. Anne gaat bij haar zitten.

Algauw weet ze niet of ze moet lachen of huilen. Die man heeft iets absoluut onweerstaanbaars, zelfs als hij verschrikkelijke grappen maakt.

Het is bijna zoals vroeger, zoals ze naast elkaar op de bank zitten te kijken.

Op dinsdag komt de brief van Anton Dijkstra met het vonnis van de rechtbank.

Een dag eerder heeft hij gebeld om het persoonlijk te vertellen.

Hij klinkt vriendelijk en daar is ze blij om.

Hij heeft tenslotte z'n best gedaan en zij heeft in zijn ogen de zaak verknoeid door dingen toe te geven waarover ze bij hem haar twijfels had geuit, en waarop hij de verdediging had gebaseerd.

Waarschijnlijk heeft hij er achteraf zijn schouders over opgehaald. Stom mens. Dan moet ze het zelf maar weten.

Ze is haar rijbewijs kwijt voor twee jaar, waarvan één jaar voorwaardelijk, met een proeftijd van twee jaar.

De werkstraf is tweehonderd uur geworden. Te zijner tijd zal ze van de reclassering te horen krijgen hoe die straf zal worden uitgevoerd.

'Je boft dat die ouders geen claim hebben ingediend,' zegt hij nog. 'Er valt tegenwoordig aardig wat te halen uit zo'n zaak.'

Het is een terminologie waarvan ze kippenvel krijgt.

Als het door hém al gezien wordt als er makkelijk vanaf komen, heeft ze niet veel fantasie nodig om te bedenken wat andere mensen van haar straf vinden. Ze heeft vaak genoeg zelf meegedaan aan borrelpraat over de softe straffen die rechters tegenwoordig geven.

Rijden onder invloed... doodslag... een gewapende overval... het misbruiken en vermoorden van een kind – wat voor straffen staan daar nou helemaal op? Vroeger wisten de mensen er beter raad mee. Opsluiten en verder vergeten. Waren er geen kerkers, ooit, die *oubliettes* heetten? De plek waar je vergeten werd. Wie daarin terechtkwam, eindigde als een hoopje door ratten aangevreten botten, zonder ooit meer iemand gezien te hebben, zonder ooit meer een slok water of een hap brood gekregen te hebben. Dat waren nog eens tijden.

Ze maakt zich geen enkele illusie over de straf die haar buurtgenoten haar gegeven zouden hebben als ze in de gelegenheid waren geweest.

De lente is met een onstuitbare opmars bezig.

De rozenstruiken zitten vol blad, terwijl de laatste tulpen, al behoorlijk verwelkt, nog moedig stand houden. Aan de kale takken van de blauweregen, die stevig gestut langs de muur kruipen, zwellen knoppen. De narcissen staan op springen. Alles groeit en bloeit zo'n beetje door elkaar heen in deze tijd van het jaar, alsof geen plant zich geroepen voelt zich aan de kalender te houden.

In de verwaarloosde heg zijn een paar mussen bezig een nest te bouwen, ze kan het zien aan de omtrekkende beweging waarmee ze aanvliegen.

Van een boomtak naar de top van een struik naar een nog lagere tak en dan de heg in met veel geritsel.

Als ze uit de wind staat, is de zon bijna te warm voor de trui die ze, ander weer verwachtend, vanochtend heeft aangetrokken.

Ze zal een oplossing moeten vinden voor de boodschappen nu ze niet meer met de auto kan.

Natuurlijk kan ze met de fiets gaan, maar niet naar het buurdorp waar niemand haar kent, dat is te ver. Op de fiets is de supermarkt in haar eigen woonplaats de enige optie. Maar hoe in godsnaam krijgt ze alle spullen thuis? Met alleen een grootverpakking wc-papier is er al een fietstas vol. En dan hebben we het nog niet eens over de kratten mineraalwater en al die andere dingen waarmee ze altijd zonder erbij na te denken haar supermarktwagentje vult.

Ze kan zich zonder moeite de blikken voorstellen van hun kennissen als ze met volgeladen boodschappentassen aan haar stuur langsfietst. Echt niemand zal denken dat ze op de fiets zit omdat het zo gezond is.

Maar die gedachten moet ze van zich af zetten, ze maken haar leven er alleen maar moeilijker op en een oplossing zou ze werkelijk niet weten. Als er iets is waar Jaap nooit voor heeft gevoeld, is het de weekinkopen doen op zaterdag. Ze heeft weleens met afgunst gekeken naar zo'n man die de achterbak vollaadt met boodschappen terwijl zijn vrouw ernaast staat alsof het de gewoonste zaak van de wereld is.

Nou oké, zo'n man heeft zij dus niet. En ze mag hangen als ze er tegen hem over begint en hem de kans geeft opmerkingen te maken over mensen die zichzelf in de nesten werken en een ander nodig hebben om er weer uit te komen.

Ze gaat de keuken in om thee te zetten. Over een kwartier komt Jolien thuis, dat is ongeveer het enige moment van de dag waarop ze zich verheugt.

Soms, als ze aan de keukentafel thee zitten te drinken, lijkt het alsof er iets van de ouderwetse gezelligheid terug is gekomen. Je moet natuurlijk voorzichtig zijn met dat soort gevoelens want ze brengen ongeluk,

dat patroon begint Anne langzamerhand door te krijgen. Je lost het ene probleem op en voordat je opgelucht adem kunt halen, heeft het volgende zich alweer
aangediend.

Anne vraagt zich af of Jolien zich realiseert dat ze in
hetzelfde schuitje zit als haar moeder. Ze zijn allebei
hun vriendinnen kwijt en daarmee hun sociale leven.
En als dat wegvalt, blijft er weinig over wat je leven
een beetje kleur geeft.

Het grote verschil is dat Anne het aan zichzelf te
wijten heeft, terwijl Jolien niets heeft gedaan om dit te
verdienen.

Nu ze eindelijk minder gebukt gaat onder de problemen van Jolien, is er het conflict tussen Cas en Jaap,
zodat de sfeer in huis opnieuw te snijden is. Anne
merkt dat ze er eigenlijk het geduld niet meer voor op
kan brengen.

Ze neemt het Jaap kwalijk dat hij het vertikt een
verzoenende hand uit te steken. Cas heeft 'klootzak'
tegen hem gezegd en zolang hij daar zijn excuses niet
voor aanbiedt is Jaap niet van plan een stap in zijn richting te zetten. Omdat Cas minstens zo stijfkoppig is,
is de sfeer in elke ruimte waarin die twee tegelijkertijd
vertoeven, volkomen verziekt.

Zwijgend zit Cas aan tafel, hij mengt zich niet in
gesprekken en verdwijnt zo snel mogelijk naar zijn eigen kamer of naar zijn bandje, om de raps in te stude-
ren waarmee ze over een paar weken tijdens het jaar-
lijkse schoolfeest op gaan treden.

Jaap had het meteen met hem uit moeten praten, Anne dringt er dagelijks vergeefs op aan dat hij dat alsnog doet.

Iedere dag dat deze situatie langer duurt, wordt het moeilijker haar op te lossen. Iemand moet de wijste zijn, en het ligt voor de hand dat een vader die rol op zich neemt.

Een gesprek met Cas, om hem over te halen de eerste stap te zetten, lukt ook niet.

Het is moeilijk om een beroep te doen op een jongen die op de rand van zijn bed met gebogen hoofd naar een punt tussen de neuzen van zijn All-Stars staart, terwijl op de achtergrond een op de rand van hyperventilatie verkerende rapper de helft van haar woorden onverstaanbaar maakt.

Er zijn momenten dat ze een hekel heeft aan de mannen om zich heen. Dat ze er het liefst met Jolien tussenuit zou gaan, geeft niet waarheen, als het maar weg is uit dit huis waar een doem over lijkt te hangen.

Maar tussen droom en werkelijkheid staat zowel voor haarzelf als voor Jolien letterlijk de wet. Bovendien, al zou ze de kans hebben, ze zou die twee stijfkoppen niet alleen kunnen laten.

Het naderende schoolfeest heeft ze zo lang mogelijk uit haar gedachten gebannen, maar nu staat Cas voor haar met een formulier in zijn hand. Als ze willen gaan, moeten er toegangskaarten worden besteld.

'Kun je niet alleen komen?' vraagt hij. 'Pa vindt er toch niets aan.'

Over Jolien heeft hij het niet, dat zij thuis zal blijven is zo vanzelfsprekend dat er niet eens over gepraat hoeft te worden.

Anne durft niet te zeggen dat ze ook overweegt niet te gaan.

De avond zal één grote confrontatie zijn met mensen die vroeger vrienden en kennissen waren, bij wie ze op feestjes zijn geweest, die borrels bij hen hebben gedronken en voor wie Jaap achter de barbecue lamskoteletten heeft staan grillen, terwijl zij salades en stokbrood met dipsausjes aandroeg.

En misschien nog erger: de ouders van het groepje meisjes die Jolien te pakken hebben genomen, zullen er ongetwijfeld ook zijn, net als hun dochters.

Die beproeving moet ze ondergaan omdat haar zoon zo graag wil dat ze zijn optreden ziet. Heeft hij werkelijk geen idee van wat hij van haar verlangt of kan het hem gewoon niet schelen?

Het laatste lijkt haar het meest waarschijnlijk. Hij moet verhalen hebben gehoord. Een school is een kleine gemeenschap, het is bijna niet denkbaar dat alles wat zich rondom Jolien heeft afgespeeld aan hem voorbij is gegaan.

'Ach mam, tweedeklassers, wat weet ik daar nou van!' heeft hij gezegd toen ze hem vroeg of hij nooit gehoord had dat zijn zusje zo te pakken werd genomen. Maar toen hij het wél wist, reageerde hij er nauwelijks op. Wilde het gewoon niet weten. Liet alles van zich af glijden, zoals water van de veren van een eend. Jammer dat het thuis klote is, maar verder wil ik nergens mee te maken hebben, zoiets moet het zijn.

En ze kan hem niet eens ongelijk geven, hij is van hen vieren de enige die nog een redelijk normaal leven leidt.

'Mam? Je komt toch wel? Je hebt het beloofd!'

Zoals hij nu kijkt doet hij haar denken aan het kleine jongetje van lang geleden, dat met grote en een beetje onzekere ogen probeerde een zakje chips in de supermarkt of een plastic autootje van haar los te krijgen.

'Natuurlijk kom ik,' zegt ze. 'Bestel maar kaarten voor pappa en mij.'

Hij doet zijn mond open om iets te zeggen, ongetwijfeld een protest omdat hij haar liever alleen bij de avond wil hebben, maar laat het daarbij.

Anne kan de verdere dag nergens anders aan denken.

Het sociale isolement is dragelijk zolang ze zich afzondert, maar deze avond zal ze zich in het hol van de leeuw moeten wagen.

Ze graaft een hortensia uit die haar al jaren ergert.

Elk jaar bloeit hij met grote bolvormige bloemen die zo zwaar zijn dat ze bij de eerste de beste regenbui plat tegen de grond slaan, de halve struik met zich meesleurend, en zich daarna niet meer opheffen. Ze heeft alles geprobeerd, alle mogelijke vormen van steun die je kunt kopen of zelf bedenken om de struik overeind te houden. Nu is het genoeg geweest, er zijn voldoende dingen in haar leven die niet gaan zoals zij wil, ze is niet van plan om zich in haar eigen tuin ook nog eens te ergeren.

Met een zekere wellust drijft ze de spade de grond in, dwars door het wortelstelsel heen, en sleurt de struik de aarde uit. Te groot voor de groenbak, maar daar weet ze raad op. Met de tuinschaar knipt ze iedere tak in kleine stukjes. Sneu dat het ding alweer vol knop zat. Aan de andere kant, nu weet ze zeker dat ze er het komende seizoen een boel gedonder mee zou hebben gekregen.

Ze merkt dat Jaap achter haar staat, een glas in zijn hand dat gevuld is met whisky, tenzij hij op appelsap is overgestapt, wat haar zou verbazen. Verbazen doet ze zich hoe dan ook, Jaap is geen man die op een zondagmiddag om twee uur al aan de drank is.

'Je had mij even kunnen waarschuwen, dit is geen vrouwenwerk,' zegt hij.

Ze veegt een piek haar van haar klamme voorhoofd.

'Ik heb me uitgeleefd, dat is ook weleens prettig.'

Hij knikt.

'Jij ook een drankje...?'

Tijdens de paar zinnen die ze hebben gewisseld heeft hij alweer een ferme slok genomen.

'Dank je, zo te zien drink jij voor twee.'

Zijn gezicht blijft onbewogen.

'Zo subtiel als jij je altijd weet uit te drukken.'

Ze legt de tuinschaar op de rand van de groene bak.

'Zeg het maar Jaap. Wat is er aan de hand?'

Het is warm waar ze staan, en windstil. Ze ruikt de

geur van zweet onder haar oksels, de aarde aan haar handen en de drank in zijn adem. Uit de kamer van Cas klinkt muziek, het is de tape van de raps die ze op de schoolavond gaan uitvoeren, ze hoort zijn stem op het ritme, uit de verte klinkt het in elk geval niet slecht.

Jolien is met haar huiswerk bezig, ze heeft haar een half uur geleden nog gezien. Haar eerste gedachte 'Er is iets met de kinderen' slaat gelukkig nergens op.

'Jaap?'

'Die vrienden van ons...' – hij praat langzaam en duidelijk, alsof hij bang is niet goed verstaan te worden – 'die zijn al een tijdje bezig het zinkende schip te verlaten. Hoewel dat feitelijk niet klopt. Dit schip gaat zinken omdát het door de ratten verlaten wordt. Maar dan klopt het gezegde weer niet.'

Hij maakt een iets te onbeheerst nonchalant gebaar, een straaltje whisky glijdt langs de buitenkant van het glas, hij likt het zorgvuldig op.

'Waar heb je het over Jaap?'

'Ik denk dat jouw vriendinnen tegen hun mannen hebben gezegd dat ze maar eens een andere accountant moeten zoeken. Een andere verklaring heb ik niet. Ik ben namelijk niet veranderd, dat is het gekke. Iedereen is veranderd. Behalve ik. Maakt niet uit. Ik word evengoed gepakt.'

Anne loopt naar het terrasje en laat zich op een tuinstoel zakken.

Het dringt te laat tot haar door dat de kussens doornat zijn na de regenbui van de afgelopen nacht. Ze voelt het vocht door haar jeans en haar slip heen trekken.

Jaap is meegelopen en staat nu weer voor haar.

'Ik had het je eerder moeten vertellen, maar ja, er zijn in dit huis geen goeie gelegenheden meer voor slecht nieuws. Ik ben m'n vijf grootste klanten kwijtgeraakt. Drie anderen vertrekken na het jaaroverzicht, die heb ik dus nog even. En er gaan er meer verdwijnen, let op mijn woorden. *This is your husband speaking*. Evert is deze maand voor het laatst. Te duur. Zag het natuurlijk zelf ook wel aankomen. Jantien houd ik voorlopig en de whisky is bijna op. Ik vrees dat we jouw vader moeten vermoorden.'

Hij draait zich om en loopt het huis binnen, waardig rechtop, zoals altijd als hij een slok te veel op heeft.

Ze twijfelt geen seconde aan zijn woorden.

Alleen gelooft ze niet dat haar vriendinnen op wraak uit zijn, dat zou te veel eer zijn, wraak vergt emotie en geen mens windt zich nog op over haar en Jaap.

Wat er speelt ligt simpeler, ze ziet het zo helder als de contouren van de beuk tegen de blauwe lucht.

Ze willen ons weg hebben. Ze rekenen erop dat Paula en Dick hier ook niet zullen blijven, en daarna wordt hun leven net als vroeger.

'Hoe moet het nu verder?'

Ze zit op de stoel bij haar kaptafeltje en kijkt naar Jaap, die op de rand van het bed zijn schoenen uittrekt en daarna zijn sokken.

'Hoe het verder moet?' Hij komt overeind en laat

zijn broek zakken. Hij heeft het boxershort met de kerstkonijntjes aan, een cadeautje uit de tijd dat er in dit huis nog grappen werden gemaakt.

Op zijn kuiten ziet ze ribbels waar de sokken hebben gezeten, wat niet wegneemt dat hij leuke benen heeft. Helemaal een leuk lijf eigenlijk, ze is er jarenlang behoorlijk gek op geweest.

'Zaak opdoeken, baan zoeken, verhuizen.'

Het klinkt alsof het helemaal rond is. Geen item waarover nog gepraat hoeft te worden. Maar Anne hapt naar adem.

Nu het eindelijk tot hem is doorgedrongen dat hun positie in dit stadje op z'n zachtst gezegd onmogelijk is geworden, heeft hij in alle eenzaamheid zijn besluiten genomen.

Zaak opdoeken, baan zoeken, verhuizen.

Drie dingen die ieder op zich verschrikkelijk voor hem zijn.

Ze herinnert zich de trots waarmee hij het eerste briefpapier van zijn nieuwe zaak liet zien. De aanbouw was net klaar, het rook er nog naar verf en nieuwe vloerbedekking. Ze hadden een extra lening gesloten voor de inrichting van het kantoor. Het moest sober zijn, mensen houden er niet van als hun accountant een *spender* is, maar je moest wel kunnen zien dat er aandacht en geld aan besteed was.

Ze hadden champagne gedronken, ieder aan een kant van het grote notenhouten bureau dat hij van zijn vader had geërfd.

'Eindelijk geen klojo's meer die mij vertellen hoe ik

de zaken moet aanpakken!'

Hij was zo gelukkig geweest. 'Bevrijd' was misschien een beter woord.

En trots op het huis, op zijn zaak, op de toekomst die hij zo duidelijk voor zich zag.

Hij heeft z'n pyjama aangetrokken, donkerblauw tricot, meer iets om in te gaan sporten, slaat het dekbed aan zijn kant van het bed terug en kijkt naar haar.

'Ik zou werkelijk geen andere oplossing weten. Jij hebt geen inkomen meer en ik ook niet als ik niet snel iets doe.'

Hij reikt naar de schemerlamp naast zijn kant van het bed.

In het donker liggen ze zwijgend naast elkaar.

'Ik vind het zo erg voor je. De zaak was je droom, Jaap. Kun je niet ergens anders opnieuw beginnen?'

Haar hand zoekt de zijne, ze strengelt haar vingers tussen die van hem, zijn hand voelt als een dood ding en ze trekt de hare terug.

'Het komt allemaal door mij.'

'Hou daar nou eens mee op!' Ze hoort woede in zijn stem.

Ze zwijgt gekwetst. Wat had ze dan anders moeten zeggen, het ís toch haar schuld!

Cas wil haar alvast zijn rap laten horen, hij zit op de rand van het bed terwijl zij op de stoel achter zijn werktafel zit. Het is muziek waaraan je moet wennen, maar als je er eenmaal op bent ingesteld dat de zinnen elkaar opvolgen zonder rustpunt ertussen, valt het best mee en op een bepaalde manier swingt het ook nog.

Ze kijkt naar Cas, die met samengeknepen ogen luistert, zijn lichaam beweegt mee op de muziek, zijn mond mompelt de tekst. Het is een slechte bandopname, maar het ontgaat haar niet dat haar zoon op de komende schoolavond het milieu waarin hij is opgegroeid te kakken gaat zetten. VVD'ers en patjepeeers blijken naadloos te rijmen, net zoals graaien en je werknemers naaien. Veel sympathie valt er voor haar gezin niet meer te verliezen, dat is een schrale troost.

Haar maag trekt samen als ze eraan denkt wat ze van hem af gaan nemen. De band waarmee hij zo zielsgelukkig is, waarschijnlijk het enige leuke dat hij de afgelopen tijd heeft gehad.

Hoe moet ze het tegen hem zeggen? 'Lieverd, het spijt me zo maar we gaan verhuizen. Je vindt vast wel weer een nieuwe band.'

Alle zekerheden van de mensen van wie ze houdt, alles waarin ze plezier hebben, heeft ze te gronde gericht. Het lijkt alsof er geen einde aan komt.

'En?'

Ze ziet de blos op zijn wangen, z'n grote afwachtende ogen.

'Ik vind het geweldig, Cas. Het loopt als een trein. Wat een boel tekst om uit je hoofd te leren. Maar waarom speciaal een rap?'

'Iedereen doet cabaret. Cabaret of musical. Dom amusement. Dit gaat ergens over, dat is ook wat ik wil, later. Dingen doen die ergens over gaan.'

'Dan is dit alvast een goeie eerste stap,' zegt ze, en

vindt het zelf te saai en te braaf klinken. Maar ze kan moeilijk zeggen dat ze het vet cool vindt, dat is zijn jargon, niet het hare.

Ze staat op. 'Ik moet Jolien nog ergens mee helpen.'

Hij knikt. Kijkt haar onderzoekend aan. 'Je vindt het toch echt goed, mam?'

'Vet cool!' zegt ze, en smaakt het genoegen dat haar zoon zich schaterend achterover op bed laat vallen.

Brief van Reclassering Nederland. Een uitnodiging om de uitvoering van de werkstraf te komen bespreken. Als bijlage de standaardregels werkstraffen. Drie vol getikte pagina's, informatief en duidelijk wat betreft de maatregelen als ze zou proberen onder de straf uit te komen.

Bij een werkstraf tellen reistijd en lunch niet als straftijd, leest ze. Dat stemt tot tevredenheid. Het zou een mooie boel zijn als het eten van een broodje gezond gezien zou worden als het uitvoeren van je straf.

Ze pakt de telefoon en maakt de afspraak.

Bizar eigenlijk dat die mensen zo vriendelijk zijn. Die rechter was dat ook al. Streng maar vriendelijk. Bij je straf hoort kennelijk niet dat je honds wordt behandeld. Is ook niet nodig, daar zorgen je vrienden wel voor.

Ondertussen is tweehonderd uur veel. Als je het opdeelt in achturige werkdagen ben je vijfentwintig dagen bezig. Gewoon een fulltime baan waarbij ze dan ook nog de tijd moet optellen die ze onderweg is. Zonder auto.

Ze is er nog steeds niet aan gewend dat het ding halverwege het tuinpad nutteloos staat te wezen, terwijl zij zich er met de fiets en volle tassen aan het stuur langs wringt na een rondje boodschappen doen.

Ze moet ook ineens heel andere kleren aan, want de kleding waarmee ze zo nuffig achter het stuur ging zitten, maken geen schijn van kans op de fiets. Nauwe rokken die opschorten tot halverwege haar dijen, terwijl door het zadel de achterkant van haar rok onherstelbaar uitlubbert. Hakken staan belachelijk op een trapper, en als ze met redelijk goed zittend haar het huis verlaat, komt ze een uur later terug met een soort ragebol die alle kanten uit staat.

Die keer dat ze koppig liever liep met een shopper op wieltjes dan op de fiets te gaan zitten, kwam ze door haar enkels zwikkend en met pijn in haar rug thuis.

Vanaf die dag draagt ze voornamelijk jeans, sweaters en loafers en een badstoffen band om haar haren. Als het regent pakt ze het ski-jack dat ze tussen de wintersportspullen vandaan heeft gehaald.

Ze voelt zich onwennig in die outfit, maar niemand besteedt aandacht aan haar, en als ze in het winkelcentrum om zich heen kijkt realiseert ze zich dat ze exact zo gekleed gaat als het merendeel van de winkelende vrouwen, en dat ze voor die tijd opvallend geweest moet zijn met haar dure kleren.

Ze vertrekken zo laat mogelijk, dat scheelt tijd die ze in de foyer door zouden moeten brengen.

Jolien zit met opgetrokken benen op de bank naar een soap te kijken. Het doet haar niets, heeft ze gezegd, dat haar ouders naar een avond gaan van de school die zij verafschuwt.

'Jullie liever dan ik!'

Natuurlijk is er geen parkeerplaats meer te vinden, en Jaap zet Anne af voor het theater dat door de school is afgehuurd, om verder weg een plek voor de auto te zoeken. Het waait stevig en het is gaan regenen, maar ze verdomt het om alleen naar binnen te gaan.

Door de glazen gevel ziet ze dat de foyer stampvol is. Kroonluchters, tapijten waar je tot je enkels in wegzakt, een feestelijke omgeving voor feestelijk geklede mensen die met koffie in hun hand met elkaar staan te praten.

De wind slaat haar vochtige rok tegen haar benen, het is te koud voor haar korte jasje, en ze is opgelucht als ze Jaap ziet aankomen, gebogen tegen de wind, nat en uit zijn humeur.

Als hij hun jassen afgeeft bij de garderobe, zijn de meeste mensen de zaal al in. Hun plaatsen zijn in het midden van een rij, waar ze goddank niemand kennen. Maar als ze zitten ziet ze Paul en Marja schuin voor hen, en een rij daarvoor Heleen en Jan-Willem en andere bekenden uit de Vennenwijk.

Cas treedt pas na de pauze op.

Ze kijkt zonder veel belangstelling naar een op André van Duyn gebaseerde act, een meidengroep die playbackt en een meidengroep die echt zingt, hun bewegingen sexy en geroutineerd zoals dat bij die muziek schijnt te horen. Ze weten precies wat ze doen moeten en hoe, de meisjes en jongens die optreden. Ze zien de voorbeelden dagelijks op de televisie en op computerfilmpjes, niemand die nog iets origineels doet, geen beweging of die is niet al tienduizend keer door anderen gemaakt.

Een meisje met lang zwart haar zingt een paar chansons, die vooral door ouderen worden gewaardeerd, en een cabaretgroepje voert een paar schoolscènes op, die bij de leerlingen die begrijpen waarover het gaat, veel succes hebben.

Pauze.

Ze zou het liefst blijven zitten, maar dat valt meer op dan meelopen met de massa.

'Ik haal koffie,' zegt Jaap.

Zijn mond staat strak, ze zijn een paar klanten met hun vrouwen tegengekomen die gegeneerd groetten en snel een andere kant op keken om een gesprek te voorkomen. De weglopers, weet ze, zonder dat Jaap het hoeft te vertellen.

Zelf heeft ze oog in oog gestaan met Heleen, die nauwelijks merkbaar knikte en doorliep, en nu ziet ze Marja en Paul aankomen.

'Ik ben zo terug,' zegt ze tegen Jaap.

Op de wc komt ze in een lange rij terecht. Wonderlijk dat het nog nooit tot architecten van dit soort gebouwen is doorgedrongen dat vrouwen vaker naar de wc gaan dan mannen en dat er daarom voor hen meer voorzieningen nodig zijn.

Ze worstelt zich naar een wasbak en bekijkt haar

verregende gezicht. Er is zonder de toiletartikelen die ze thuis heeft laten staan, weinig aan te redden.

Ze haalt haar handen door haar haren en werkt haar lippen bij.

'Waar bleef je?' vraagt Jaap geïrriteerd, in elke hand een koffiekop met een plas koffie op het schoteltje.

Een doorweekt koekje valt op de grond als Anne een kopje van hem overneemt.

Ze staan bijna tegen de zijwand van de foyer, zonder iets tegen elkaar te zeggen, wachtend tot een zoemer het teken geeft dat ze weer naar hun plaatsen kunnen.

'Goed dat jullie er zijn!'

Ze draait zich half om en kijkt in het gezicht van Vreeman.

'Mijn vrouw Paula. Paula, dit zijn de ouders van Jolien.'

Een jong gezicht. Gebruind, halflang kastanjebruin haar.

'Wat moedig van jullie om hier te komen. Dick heeft over Jolien verteld, hij was er zo vol van, wat een afschuwelijke tijd voor jullie!'

De sympathie is oprecht en zo onverwacht dat Anne tranen in haar ogen voelt. Vreeman is met Jaap een gesprek over Cas begonnen.

'Een goeie rap. Ik ben bij een paar repetities geweest. Geweldig, dat jongens van die leeftijd maatschappelijk betrokken zijn.'

'Ik denk niet dat iedereen daar zo over zal denken,' zegt Jaap.

'Dat maakt het voor mij extra waardevol. Laten we

eerlijk zijn, om Madonna te playbacken hoef je alleen maar een beetje handig te zijn. Cas heeft een originele tekst op originele muziek.'

'Ik ben benieuwd,' zegt Jaap.

Cas is de laatste act. Haar hart springt op als ze hem met drie jongens die ze vaag kent het podium op ziet komen, dat ineens te groot lijkt en te fel verlicht.

Hij heeft z'n All-Stars aan, ziet ze, en een petje waarvan de klep schuin naar achteren is getrokken. Ze heeft geen idee of hij zenuwachtig is, het moet verschrikkelijk zijn om te moeten presteren voor een zaal vol bekende gezichten. Ze balt haar klamme handen en voelt haar hart als een bezetene kloppen. Het lijkt wel alsof zij daar staat, zo zenuwachtig is ze ineens.

De muziek zet in en tegelijkertijd begint Cas met zijn tekst. Ze hoort dat hij gespannen is, maar na een paar regels is dat verdwenen.

Hij beweegt zijn lichaam op het ritme van de muziek, loopt heen en weer, zijn handen afwisselend in zijn zakken of gebarend naar de zaal. Ze leest de afkeuring af aan de ruggen van hun generatie Vennenwijkers wanneer Cas het graaien en werknemers naaien de zaal in slingert. Maar de scholieren, en tot haar verbazing toch aardig wat volwassenen, zijn enthousiast, en als het groepje klaar is wordt er net zolang lawaai gemaakt tot er een toegift komt.

Anne heeft af en toe van opzij naar Jaap gekeken. Zijn gezicht staat strak, ze weet niet wat hij van het

optreden van zijn zoon vindt, maar het kost haar weinig moeite het te bedenken.

Zelf is ze trotser dan ze voor mogelijk heeft gehouden. Ze zou het liefste naar Cas toe gaan om het hem
te vertellen, maar ze weet dat er aan het einde van de
avond een feest is en dat hij niet vroeg thuis zal zijn.

Jaap heeft de hele weg niet gesproken, en als ze thuiskomen zegt hij dat hij nog even iets wil drinken, heeft
zij ergens trek in?

Maar ze is moe, gaat meteen door naar boven, loopt
even bij Jolien binnen, die ligt te slapen, het leeslamp-
je nog aan, een *Yes* op het dekbed, en schrijft een briefje dat ze op het hoofdkussen van Cas z'n bed legt.

'Je was fantastisch. Vet cool!

Mamma.'

Ze wordt wakker als Jaap naast haar in bed schuift,
en opnieuw, voor haar gevoel uren later, als hij ineens
rechtop gaat zitten en het dekbed terugslaat.

In de gang hoort ze Cas op z'n tenen lopen, wat
weinig zin heeft want de vloerplanken van de overloop kraken bij iedere stap die hij zet.

Jaap loopt naar de deur en ineens dringt het tot haar
door dat hij Cas onder handen gaat nemen.

'Jaap, alsjeblieft... verpest zijn avond nou niet!
Jaap!'

Ze zit nu ook rechtop, doet het licht aan en ziet dat
Jaap al half op de gang is.

'Cas?'

Zijn stem klinkt te luid door het stille huis.

Ze is in één beweging uit bed, en ziet half achter Jaap hoe Cas stilstaat, hij heeft het petje met de klep achter zijn rechteroor nog op, één hand aan de knop van zijn kamerdeur, zijn gezicht in angstige afwachting.

'Cas... je hebt meer lef dan je vader. Ik ben trots op je!'

Op het gezicht van haar zoon breekt een brede glimlach door, maar zijn stem klinkt neutraal als hij 'Nou pa, dank je!' zegt en in zijn kamer verdwijnt.

Het moet worden verteld.

Jaap heeft een gesprek gehad met Deloitte. Hij wil niet terug naar het kantoor waar hij vandaan kwam, maar dat is geen bezwaar, mogelijkheden genoeg, accountancy is een booming business en iemand met zijn ervaring is van harte welkom.

Ze weten nu in elk geval waar ze terecht zullen komen. De volgende stap is een huis en een school zoeken.

Dat de kinderen van niets weten voelt als verraad. Ze zijn bezig over hun leven te beschikken terwijl Jolien en Cas niet beter weten dan dat ze in deze plaats, in dit huis zullen blijven.

Jolien zal het alleen maar toejuichen om hier weg te gaan, maar bij Cas zal het hard aankomen.

De dagen gaan voorbij, en Anne blijft het gesprek met Cas voor zich uit schuiven.

Tot haar verbazing is het Jaap die de knoop doorhakt.

'Ik ga vanavond met hem praten,' zegt hij.

Ze doet haar mond open om hem tegen te spreken. Voor haar gevoel is zij de enige in dit huis die moeilijke gesprekken kan voeren. Al is het alleen maar omdat zij de enige is die dat altijd heeft moeten doen.

Jaap is tactloos, kiest onhandig zijn woorden, raakt snel geïrriteerd als een gesprek niet loopt zoals hij het zich had voorgesteld.

Maar nu het weer goed is tussen die twee – het lijken egeltjes zoals ze voorzichtig toenadering zoeken – is het misschien geen gek idee dat Jaap eens een moeilijk gesprek gaat voeren.

Ze zit beneden, een beker koffie in haar handen, de krant op schoot, haar oren gespitst op elk geluid dat van boven komt.

Eerst is er de rustige dreun van Jaaps stem. Dan ineens Cas, luid, verontwaardigd, hij schreeuwt bijna, maar Jaap neemt het over, nog steeds kalm. Ze denkt dat ze Cas hoort huilen maar dat kan projectie zijn, ze kan zich niet voorstellen dat hij zonder tranen afstand zal doen van wat hem zo dierbaar is.

Jaap blijft lang boven en daar is Anne blij om. Hij heeft zich er in elk geval niet met een mededeling vanaf gemaakt.

Als hij eindelijk beneden komt, ziet hij er moe uit.

'En?'

'Hij begrijpt het,' zegt Jaap.

'Was hij niet razend?'

'Razend en verdrietig. Maar hij begrijpt het. Ben je klaar met dat katern?'

Anne geeft hem zwijgend de krant. Het is duidelijk dat ze het met deze summiere mededelingen moet doen.

Cas is opvallend stil de dagen die volgen.

Een paar keer probeert Anne een gesprek te beginnen over de komende verhuizing maar hij kapt iedere poging af.

'Mam, laat nou maar, ik heb geen zin om te praten.'

De band is op de achtergrond geschoven nu de laatste repetitieperiode voor het einde van het schooljaar is aangebroken.

Ook Jolien zit steeds langer over haar boeken gebogen. Ze maakt dezelfde proefwerken als haar voormalige klasgenoten. Als ze overgaat kan ze op de nieuwe school naar de derde klas, en daar heeft ze alles voor over. De oudste zijn van een klas tweedejaars zou haar meteen weer in een uitzonderingspositie brengen, denkt ze, al is dat natuurlijk onzin, er zitten in iedere klas wel een paar zittenblijvers.

Inmiddels heeft Anne afspraken gemaakt voor haar werkstraf in een revalidatiecentrum, waar ze zal helpen in de keuken en bij het rondbrengen van de maaltijden.

Als alles meezit en ze snel succes hebben met het vinden van een huis, zal het naadloos op elkaar aan kunnen sluiten. Vijf weken achter elkaar werkstraf, een maand om de verhuizing voor te bereiden en dan weg uit deze wijk, waarin elk uur haar te veel is.

Op Funda heeft ze een huis gevonden dat per direct opleverbaar is en dat haar wel wat lijkt. Ze bekijkt de foto's. Een rustige laan, een ruime tuin, eigenlijk een beetje de sfeer van het huis waarin ze nu wonen. De buurt zal wel net zo'n coterietje zijn als hier, maar ze is niet van plan om daar deel van uit te gaan maken. Een beetje afstand nemen voorkomt een boel problemen, weet ze nu.

Ze maakt een print en loopt bij Jaap binnen, die na het eten nog wat dingen op kantoor moest doen.

Maar hij zit met zijn hoofd in zijn handen achter zijn bureau en gaat met een betrapt gezicht rechtop zitten als ze binnenkomt.

Hij ziet er moe uit, te oud voor zijn leeftijd. Ze voelt een golf van medelijden als ze de print voor hem legt en neerkijkt op zijn haren die bovenop dun beginnen te worden.

Hij schuift de print van zich af.

'Ga even zitten, Anne,' zegt hij.

Met een vaag gevoel van naderend onheil laat ze zich op de stoel tegenover hem aan het notenhouten bureau zakken.

Wat kan er nu weer zijn, alle onheilen zijn wel zo'n beetje gepasseerd. Maar ze kan natuurlijk iets over het hoofd hebben gezien.

'Ik ga niet met jullie mee, Anne.'

Ze kijkt hem sprakeloos aan.

'Ik wil dit leven niet langer. Ik kan het niet. Alles om jou heen is vreugdeloos. Er wordt niet meer gelachen, er wordt niet meer geleefd. Ik heb het gevoel dat mijn keel langzaam wordt dichtgeknepen. Ik stik hier, en ik denk dat de kinderen het net zo voelen, al spreken ze het niet uit.'

Op de koffie die voor hem staat begint zich een vel te vormen. Hij moet roeren en het dan snel opdrinken, het is nu nog lauw, maar ze kan natuurlijk ook nieuwe koffie voor hem halen.

Dat zou haar meteen gelegenheid geven om te laten bezinken wat hij heeft gezegd. Niet meegaan, hoe bedenkt hij het, alsof ze samen met de kinderen in een vreemde stad in een vreemd huis gaat zitten.

'Wat wil je doen?' Haar stem komt piepend uit haar keel, en ze schraapt en zegt het opnieuw.

'Om te beginnen ergens een appartementje huren. Niet ver van jullie vandaan, zodat de kinderen kunnen komen als ze er behoefte aan hebben.'

'En wat moet ik?'

'Proberen los te komen van dat verdomde schuldgevoel, daar zul je je handen aan vol hebben.'

'Maar het ís toch ook allemaal mijn schuld.'

'So what! Mea culpa en verder geen poot uitsteken om er iets van te maken? De weg van de minste weerstand, Anne. Bij alles wat er gebeurt roep je dat het door jou komt en daar moeten we het dan mee doen.

Ik kan het langzamerhand niet meer verdragen om naar je te kijken. Het slachtofferschap druipt van je af en ondertussen verziek je niet alleen je eigen leven maar ook dat van mij en de kinderen. En waarom? Voor wie? Denk je dat je Kirsten daarmee terugbrengt? Dat haar ouders minder verdriet zullen hebben? Dat je ook maar iemand helpt met die houding?'

Hij is gaan staan, loopt heen en weer door de kamer, maakt telkens op hetzelfde punt een draai. Dat doet hij vaker, ziet ze aan het kleed nu ze erop let. Hij zal zijn koers moeten verleggen, anders ontstaat daar een slijtplek.

'Weet je wat ik denk, Anne?'

Natuurlijk weet ze dat niet, allang niet meer, maar het maakt niet uit. Het is onzin wat hij zegt, ze zal het hem straks uit zijn hoofd praten. Maar wel rustig blijven, ze kan soms zo door haar emoties worden meegesleept.

'Ik denk dat wij er wel bovenop komen.'

Hij is weer aan het ijsberen, haar ogen volgen aandachtig zijn schoenen en de draai die ze telkens op dezelfde plek maken.

'Jolien redt het wel op een nieuwe school, Cas vindt een andere band, ik start misschien weer een zaak en misschien ook niet, maar jij Anne, waar ben jij als wij allemaal doorgaan met ons leven?'

Ze staat op.

Ze pakt het eerste wat onder haar handen komt, een pressepapier van in facetten geslepen kristal en gooit die naar zijn hoofd. Hij duikt weg, maar de bol schampt langs zijn slaap en van het ene moment op het andere stroomt het bloed langs de zijkant van zijn gezicht en over de boord van zijn witte overhemd.

Het geeft haar een wild gevoel van voldoening.

Terwijl hij zijn hand tegen zijn slaap houdt – bloed sijpelt tussen zijn vingers door – volgt hij haar meer verbaasd dan boos met zijn ogen als ze langs hem heen de deur van zijn kantoor uit loopt.

Ze heeft de eerste de beste jas aangetrokken die aan de kapstok hing, een regenjas die veel te dun is voor de tijd van het jaar.

Het is koud, aan de wolkeloze hemel ziet ze de paar sterren die door de lichtvervuiling in deze streek van Nederland weten heen te dringen. Verderop is de hemel oranjegeel van kleur: de kassen, waar het 's nachts lichter is dan overdag. Vanuit een vliegtuig gezien lijken het open kraters van waaruit een vuurgloed opstijgt.

Ze heeft geen idee waar ze naartoe moet.

Geen vriendinnen bij wie ze kan schuilen, geen familie om raad aan te vragen. Ze heeft nu zelfs geen man meer, Jaap, die de grootste vanzelfsprekendheid in haar leven was, een man met wie ze niet echt rekening hoefde te houden omdat hij altijd alles van haar accepteerde.

Als zo'n man ergens een punt achter zet, kun je dat beter serieus nemen. Hoelang heeft hij met dit idee rondgelopen? Wat heeft de doorslag gegeven? Waarom vanavond dit gesprek?

Stomme vraag. Juist vanavond, toen ze met dat huis aan kwam zetten, ervan overtuigd dat hij waar dan ook ter wereld de hoeder van het gezin zou blijven. Geduld door haar, maar allang niet meer begeerd.

Nee, niet alleen niet meer begeerd maar zelfs niet meer gezien door haar. Een voorwerp waaraan je gewend bent zonder er verder veel bij te voelen.

De manier waarop hij haar heeft beschreven... Natuurlijk herkent ze zichzelf erin, maar ze begrijpt niet wat er fout aan is om schuld te bekennen. Wat wil hij dan? Ze heeft alles over voor haar gezin, dat weet hij ook wel. En toch heeft hij het over niet kunnen ademen in haar nabijheid.

Ze is zonder het zich bewust te zijn naar de school van de kinderen gelopen en staat nu bij de ingang van het parkje, tegenover de hoofdingang. De plek waar overdag een rijdend kraampje met snoep en pizza's staat en waar soms jongens rondhangen die stickies aan de hoogsteklassers aanbieden.

Ze gaat op een bankje zitten dat nog net binnen het bereik van het licht van een lantaren is. Ze houdt er niet van 's avonds alleen buiten te zijn, zeker niet om deze tijd, en als het weleens voorkwam was het om van het huis van Marja naar het hare te lopen.

Ze is moe en op een kalme manier overstuur.

Jaap meende wat hij zei, maar ze kan het niet geloven.

Hij wil vrij zijn, dat is in elk geval duidelijk. Alsof zijzelf niet ook vrij zou willen zijn. Alsof het zo fijn is je de godganse dag verantwoordelijk te voelen voor de ellende die je man en je kinderen door jou moeten meemaken, en jezelf alles te ontzeggen wat je leven een beetje leuker zou maken.

Ze is zo moe, ze zou het liefste languit gaan liggen

om een beetje te slapen, maar ze durft niet en bovendien heeft ze het te koud.

Ze veert overeind als ze voetstappen hoort en loopt de straat op. Een oude man laat een hond uit, die uitgebreid aan iedere boom en struik snuffelt. Hij heeft een engelengeduld, die man, maar misschien past dit tempo hem wel. Hij mompelt een groet en ze groet terug, blij om even een menselijk geluid te horen.

Op haar horloge ziet ze dat het één uur is, en nog steeds weet ze niet waar ze heen moet. Hotels zijn er niet in dit plaatsje, zelfs geen afdeling van het Leger des Heils. Wie hier geen onderdak heeft, is op zichzelf aangewezen.

Dacht Jaap soms dat ze het zelf niet wist. Niet meer gelachen, niet meer geleefd... Alsof je daar iets aan kunt doen als je het gevoel hebt bij iedere stap tot je enkels in een moeras weg te zakken.

Met haar handen in haar zakken loopt ze door de ene straat na de andere. De helft van de lantarens is uit, duisternis tussen de ene lichtbundel en de volgende. Ze is nog nooit zo bang geweest.

Bij de enkele ramen waarachter nog licht brandt, blijft ze huiverend staan. Als haar hier iets overkomt, zijn er tenminste mensen wakker die haar hulpgeroep horen. Totdat ze zich realiseert dat juist waar om deze tijd van de nacht licht brandt, de bewoners afwezig zijn, zoals dat bij hen thuis ook het geval is als ze uit zijn en weten dat ze laat thuis zullen komen.

Een auto rijdt haar tegemoet, een paar seconden is ze gevangen in het licht van de koplampen. Verbeeldt ze het zich of gaat de auto ineens langzamer rijden? In paniek begint ze te hollen, een hoek om, ze denkt dat ze de auto hoort naderen en drukt zich tegen een natte struik die half buiten een tuinhek groeit. Vochtige druppels in haar hals. Maar het geluid van de motor sterft weg.

Niet lang daarna is ze zo moe dat niets haar meer kan schelen.

Angst maakt plaats voor onverschilligheid. Ze schopt de schoenen van haar pijnlijke voeten en houdt ze in haar hand terwijl ze verder loopt, over ongelijke tegels en door plassen.

En dan is er wel degelijk een auto die haar van achteren nadert, langzamer gaat rijden en stopt.

Ze staat doodstil, zonder zich om te draaien, en hoort portieren opengaan en voetstappen haar richting uit komen.

Zijn grote lijf vult de wachtkamer, waar ze met een deken om haar schouders en een beker hete koffie tussen haar handen zit te klappertanden, en ze moet denken aan die andere keer, honderd jaar of langer geleden, dat ze in ditzelfde bureau, in deze zelfde wachtkamer zat en zo blij was om hem te zien, want als Jaap er was dan zou het misschien allemaal goed komen.

Nu staart ze naar hem van over de rand van de plastic beker en hij gaat tegenover haar zitten, z'n knieën iets uit elkaar, zijn grote handen ertussen, terwijl hij zijn ogen niet van haar gezicht afwendt.

Hij heeft een brede pleister met een gaasje eronder

op zijn slaap, de huid eromheen lijkt opgezet.

'Doet het pijn?'

'Wat? O, dat.' Zijn hand gaat naar de plek, raakt hem voorzichtig aan. 'Valt mee.'

'Ik kan het niet alleen, Jaap.'

Ze is nog steeds zo koud dat ze nauwelijks kan articuleren, de woorden komen er moeizaam uit.

'Hoeft ook niet,' zegt Jaap.

Hij staat op, neemt de beker uit haar handen en slaat een arm om haar heen.

'De deken,' mompelt ze, als ze naar de uitgang lopen.

'Breng ik morgen terug.'

Ze zit naast hem in de auto en slaapt meteen, scheefgezakt, haar hoofd tegen zijn schouder.

Nog half slapend laat ze zich door hem het huis in brengen, de trap op, naar de slaapkamer, waar hij haar uitkleedt en onder het dekbed legt.

Voor het laatst loopt ze door het huis, dat leeg is en stoffig. Verschoten plekken op het behang waar schilderijen hebben gehangen en kasten hebben gestaan.

De kinderen rijden met een van de verhuiswagens mee, uren geleden zijn ze al vertrokken.

Jaap wacht buiten op haar, hij heeft geen behoefte aan een nostalgische toer door het huis.

Ze begint op zolder, kijkt door het raam van de dakkapel naar de daken van huizen waarin mensen wonen die haar vrienden waren.

Ze hebben van niemand afscheid genomen, en niemand is langsgekomen om hen te groeten. Het maakt niet uit.

Ze had gedacht dat ze sentimenteel zou zijn tijdens deze laatste ronde, maar eigenlijk doet het haar niets. Ze werpt een vluchtige blik in de kamers van de kinderen, slaat hun eigen slaapkamer over en loopt de trap af.

'Ben je er nu al?'

Jaap staat tegen de auto geleund en lijkt opgelucht dat ze weg kunnen.

Ze draait de deur op het nachtslot en duwt de sleu-

tel door de klep van de brievenbus, zoals ze hebben afgesproken.

Terwijl Jaap achteruit het tuinpad af rijdt, kijkt ze
naar de bloeiende rozen. Het enige wat ze zal missen
is haar tuin, zeker de eerste jaren, het is een puinhoop
rondom hun nieuwe huis.

'Waarom is er een wegomleiding?' verbaast ze zich
even later.

'Wist je dat niet? Er is eindelijk een kapvergunning
afgegeven voor de drie eiken. Volgens mij zijn ze er al
mee begonnen.'

De mededeling overvalt haar. Ze is de laatste maanden een slordige krantenlezer geweest, maar vreemd
dat Jaap er niet over gesproken heeft. Waarschijnlijk
hoorde het voor zijn gevoel bij de pijnlijke onderwer-
pen die maar het best vermeden kunnen worden.

Als hun auto de weg tussen de weilanden op draait,
stort achter hen de eerste eik, ontdaan van de grootste
zijtakken, met diepe, harsbloedende wonden in zijn
stam, als een gevelde reus ter aarde.

Doesburg, 26 mei 2007

Van Tineke Beishuizen verschenen eveneens
bij De Arbeiderspers:

Als zand door mijn vingers
Wat doen we met Fred?

Als zand door mijn vingers

Wanneer Emma van der Merwe haar zuster Floor bezoekt omdat die jarig is, treft zij een leeg huis aan. Floor, die alleen woont sinds haar man jaren geleden in gezelschap van zijn vriendinnetje bij een vliegtuigongeluk om het leven is gekomen, is gezien de stapel kranten op de deurmat al geruime tijd weg.

De verdwijning van Floor is het begin van een kentering in het leven van Emma. Tijdens haar zoektocht naar Floor dringt het steeds sterker tot haar door dat ze de mensen om zich heen nooit echt gekend heeft. Ook haar eigen zusje niet.

Als zand door mijn vingers heeft een heel eigen beklemming, de wanhoop rondom een vermissing heeft Beishuizen goed aangevoeld. Ook de personages [...] zijn overtuigend en levensecht beschreven. De climax van het verhaal is behoorlijk spannend. – *De Telegraaf*

*In korte, hamerende zinnen, knisperende dialogen en stoere taal schrijft Beishuizen een vlot lopend en spannend verhaal. – *Vrij Nederland*

Wat doen we met Fred?

In De Maegd, de stamkroeg waar een groep vriendinnen elkaar iedere week ontmoet, lijken alle problemen overzichtelijk en soms zelfs amusant. Dat is niet in de laatste plaats te danken aan de witte wijn die er met royale hand geschonken wordt. Toch heeft hun vriendschap meer scherpe kantjes dan ze elkaar willen toegeven. Maar het had allemaal nog jaren heel gezellig kunnen blijven, als Fred niet op het toneel was verschenen.

En als vriendschap in haat verandert, vallen er doden.

Een geestig, spannend en volstrekt eigentijds verhaal.

Beishuizen vertelt het met humor, dat is haar kracht. – Trouw

Een pageturner omwille van de vlotte en geestige stijl. – Libelle